Kwiatki
Jana Pawła II

Kwiatki
Jana Pawła II

wybrał i opracował
Janusz Poniewierski

pomysł i współpraca
Jan Turnau

Wydawnictwo Znak
Kraków 2002

Projekt okładki
Daniel Malak

Fotografia na okładce
Sigma / Free

Opracowanie graficzne
Monika Klimowska

Korekta
Wojciech Bonowicz
Katarzyna Mach

Łamanie
Irena Jagocha

 Zamówienia: Dział Handlowy 30-105 Kraków, ul. Kościuszki 37
Bezpłatna infolinia: 0800-130-082
Zapraszamy do naszej księgarni internetowej: www.znak.com.pl

Przedmowa

Pomysłodawcą *Kwiatków* jest Jan Turnau. To on namówił mnie do pracy nad tym wyborem, podrzucał anegdoty i wymyślił tytuł, przypominając przy okazji książeczkę Henri Fesqueta o Janie XXIII: *Kwiatki Dobrego Papieża Jana*. A ja nie do końca byłem przekonany, widząc na rynku księgarskim coraz to nowe zbiory anegdot o Papieżu Wojtyle. Bo, nie wiedzieć czemu, wyobrażałem sobie tę książkę jako wybór papieskich żartów. A nadmiar dowcipów przestaje śmieszyć.

Wreszcie zrozumiałem, o co powinno tu chodzić: o zupełnie inne „kwiatki" – o *fioretti*, które od czasów świętego Franciszka funkcjonują jako w pewnym sensie nowy „gatunek literacki". Są one – pisał w przedmowie do *Kwiatków świętego Franciszka* Leopold Staff – „pociechą i nadzieją. Uczą wiary w miłość i dobroć serca ludzkiego. Książka ta cała śpiewa. Jej drugim mianem mogłaby być wolność". *Fioretti* to „opowieści z duszą". Ich prawdziwe bogactwo polega na tym, że uchylają drzwi do tajemnicy człowieka, o którym mówią.

Dlatego znalazły się tu również opowieści wcale nie śmieszne – ale takie, które mogą wzruszyć, stać się źródłem zadumy czy nawet... początkiem modlitwy. Oczywiście, są tu także żarty, jest świadectwo ogromnego dystansu Karola Wojtyły/Jana Pawła II do samego siebie i do funkcji, którą przyszło mu pełnić. Mówi o tym owa opowieść apokryficzna (prawdziwa czy zmyślona? – tego nie da się już chyba ustalić), w której Papież zwrócił się do odwiedzającego go przyjaciela z Polski: „Poczekaj tu na mnie, muszę trochę popapieżyć". Mówi o tym również spotkanie w Wadowicach w roku 1999 – twarz szczęśliwego człowieka wspominającego kremówki i tamto machnięcie ręką, kiedy jeden z księży przerwał Papieżowi serdeczny dialog z ludźmi, by kontynuować celebrę. I bezinteresowny „wygłup" – na szczęście uchwycony przez fotografa (to słynne zdjęcie zamieściliśmy na okładce książki, widząc w nim jeszcze jeden „kwiatek" Dobrego Papieża Jana Pawła II). I spotkanie w Yad Vashem – z Żydami, dawnymi mieszkańcami Wadowic. Papież nie chciał stamtąd odejść, bo ludzie ci – wyjaśnia biskup Tadeusz Pieronek – „traktowali go zwyczajnie, tak jak się traktuje kolegę spotkanego po sześćdziesięciu latach. Chociaż on już

nie był zwyczajnym kolegą. Był papieżem podró-
żującym z ogromną świtą, otoczonym przez
ochroniarzy, dziennikarzy, polityków, biskupów.
A oni mówili do niego jak do kolegi. To go bardzo wzruszyło. Było widać, że mu potrzeba rela-
cji z innymi ludźmi, w których nie ma kultu, dla
których nie jest totemem".

No właśnie. *Kwiatki Jana Pawła II* opowia-
dają o „zwyczajnym" człowieku, który jest otwar-
ty na Boga i to go czyni „niezwyczajnym". „Czu-
ję się mały w rękach wielkiego Boga" – napisał
kiedyś Jan Paweł II w liście do ojca Leona Kna-
bita. Oto prawdziwa tajemnica Papieża. Jak powiada Ewangelia (co przy okazji przeglądania
„kwiatków" – nieco ją parafrazując – przypomniał
mi Jan Turnau): kto zgubi wielkość swą, ten ją
odnajdzie.

Janusz Poniewierski

Ludzie znający dobrze Jana Pawła II powiadają, że Papież nawet w najgorszych sytuacjach nie traci poczucia humoru. Joaquín Navarro-Valls, rzecznik prasowy Stolicy Apostolskiej, zapytał go kiedyś wprost:

– Czy Wasza Świątobliwość płacze?
– Nigdy na zewnątrz – odpowiedział Papież.

Źródło: G. Weigel, *Świadek nadziei*

Świecki

Karol Wojtyła przyszedł na świat 18 maja 1920 roku w Wadowicach. Jego matka, Emilia, powtarzała ponoć sąsiadkom, że Lolek będzie wielkim człowiekiem...

W 1927 roku – wkrótce po tym, jak amerykański lotnik Charles Lindbergh samotnie przeleciał nad Atlantykiem – zapytano małego Karola Wojtyłę:

– Kim chciałbyś zostać?

– Będę lotnikiem! – odpowiedział chłopiec.

– A dlaczego nie księdzem?

– Bo Polak może być drugim Lindberghiem, ale nie może zostać papieżem.

Opowieść apokryficzna, źródło: ks. K. Pielatowski,
Uśmiech Jana Pawła II

Przed wojną w 10-tysięcznych Wadowicach mieszkało ok. dwóch tysięcy Żydów. „Wielu z nich – napisze po latach Jan Paweł II w liście do swojego żydowskiego przyjaciela Jerzego Klugera – było naszymi kolegami w szkole podstawowej, a później w wadowickim gimnazjum...”

Kiedy ogłoszono wyniki egzaminu wstępnego do gimnazjum, Jurek Kluger dowiedziawszy się, że cała jego klasa pomyślnie zdała ów egzamin, postanowił podzielić się dobrą nowiną z przyjacielem. Po długich poszukiwaniach znalazł go wreszcie w kościele. Lolek Wojtyła w białym stroju ministranta służył do Mszy.

– Lolek, Lolek, zostałeś przyjęty! – głośny szept Klugera rozległ się w całym kościele.

Spojrzenie kolegi uciszyło go. Postanowił zatem poczekać.

Kiedy Msza święta dobiegła końca, minęła go jakaś kobieta.

– Co ty tu robisz? Czy ty nie jesteś synem prezesa gminy żydowskiej? – spytała i poszła dalej, nie czekając na odpowiedź. I dobrze, bo Jurek nie bardzo wiedział, co jej powiedzieć.

Po chwili pojawił się Wojtyła.

– Czego chciała od ciebie ta kobieta? – zapytał.

– Nie wiem. Pewnie zdziwiła się, widząc Żyda w kościele.

Reakcja Karola była natychmiastowa:

– Czemu miałaby się dziwić? Przecież jesteśmy wszyscy dziećmi jednego Boga!

Źródło: G. F. Svidercoschi, *List do przyjaciela Żyda* (książka napisana na podstawie wspomnień Jerzego Klugera)

Karol był zapalonym sportowcem. Lubił zwłasz-cza piłkę nożną – najchętniej grywał na bram-ce. Nazywano go „Martyna", na cześć znanego przedwojennego piłkarza Henryka Martyny.

Ponieważ w klasie było kilku Żydów, chłopcy dzielili się na dwie drużyny: „katolicką" i „ży-dowską". W bramce z jednej strony stał Lolek Wojtyła, z drugiej – Poldek Goldberger, syn den-tysty, wielki jak szafa. Często jednak – nawet gdy ściągano graczy z innych klas – nie udawało się zebrać wystarczającej liczby Żydów, żeby stwo-rzyć z nich drużynę. W takie dni Lolek bronił bramki... żydowskiej, zwłaszcza jeśli nie było na boisku Goldbergera.

Źródła: G. F. Svidercoschi, dz. cyt.;
D. O'Brien, *Papież nieznany*

*W przedwojennej Polsce antysemickie nastroje
i zachowania nie należały do rzadkości. Nawet
w szkole w Wadowicach, w klasie Karola Wojtyły, gdzie było kilku Żydów – wspomina jeden
z kolegów – „dokuczano im czasami". Ale Wojtyła nie brał w tym nigdy udziału: „Karol, który
prezesował Sodalicji Mariańskiej, zawsze stawał w ich obronie. Oni bardzo go lubili...".*

Mówi Regina (Ginka) Beer*, Żydówka, są-
siadka rodziny Wojtyłów, koleżanka Karola z amatorskiego teatru: Była tylko jedna taka
rodzina, która nigdy nie okazała śladu wrogości
rasowej wobec nas: Lolek i jego tata. Kiedy już
miałam wyjechać z Polski do Palestyny, ponieważ

---

* W marcu 2000, w artykule pt. *Wadowiccy ziomkowie
Lolka*, opublikowanym w „Gazecie Wyborczej" przy okazji
wizyty Jana Pawła II w Ziemi Świętej, Mikołaj Lizut opisał
przyjaźń młodego Karola Wojtyły z Ginką Beer. Czytamy
tam m.in.: „Piętnaście lat temu Lolek i Ginka odnaleźli się.
Papież zaprosił ją do Watykanu, wypytywał o całą jej rodzi-
nę, oboje płakali ze wzruszenia". I dalej: „Regina Beer (...)
teraz jest ciężko chora, leży w szpitalu i dlatego nie mogła
przyjechać na spotkanie z Papieżem w Yad Vashem. Była za
to jej córka".

nieszczęście groziło Żydom, poszłam się pożegnać z Lolkiem i jego ojcem. Pan Wojtyła był bardzo przejęty moim wyjazdem, a kiedy zapytał, dlaczego opuszczam Polskę, wyjaśniłam mu to. Ciągle powtarzał: „Nie wszyscy Polacy są antysemitami. Wiesz, że ja nie jestem!". Rozmawiałam z nim szczerze i powiedziałam, że niewielu jest takich Polaków jak on. Był bardzo przygnębiony. A Lolek chyba jeszcze bardziej niż jego ojciec. Powiedziałam mu „do widzenia" tak miło, jak tylko potrafiłam, lecz on był tak poruszony, że nie mógł znaleźć ani jednego słowa, by mi odpowiedzieć. Tak więc podałam rękę jego ojcu na pożegnanie i wyszłam.

Źródła: relacja R. Beer, w: D. O'Brien, dz. cyt.; relacja Jana Wolczko, w: J. I. Korzeniowski, *Anegdoty i ciekawostki z życia Jana Pawła II*

*Początkowo Karol Wojtyła wcale nie myślał
o tym, żeby zostać księdzem. Wydawało mu się,
że ma zupełnie inne powołanie – nade wszystko
pociągała go literatura i teatr. Chciał być aktorem, a jak mawiał Juliusz Osterwa: „aktor to
nie jest błazen, to działacz pełniący swoje po-
słannictwo".*

Pamiętam jego pierwsze spotkanie z księciem
metropolitą Adamem Stefanem Sapiehą –
wspomina ksiądz Edward Zacher, katecheta Karola Wojtyły. – Było to w maju 1938 roku. Metropolita przyjechał do Wadowic na wizytację. Parę
dni wcześniej zawołałem Karola i powiedziałem
do niego: „Lolek, przygotujesz sobie mowę po-
witalną, bo przyjeżdża nasz Metropolita". Doskonale pamiętam, że napisał pięknie, a jeszcze
ładniej powiedział.

Gdy ceremonia się skończyła, Metropolita
chwycił mnie za rękę i spytał:

– A on co, księdzem będzie?

– Niestety nie! – odparłem.

– Szkoda, szkoda! Ale dlaczego? – dopytywał
się Arcypasterz.

– Bo się zakochał w polonistyce. I już nawet wiersze pisze. Chce być aktorem.

– Szkoda, wielka szkoda! – raz jeszcze powtórzył Sapieha.

Źródło: relacja ks. E. Zachera, w: ks. K. Pielatowski, dz. cyt.

Świadkowie z tamtych lat powtarzają, że Karol był dobrym kolegą; choć „podpowiadania i odpisywania nie uznawał, ale był tolerancyjny, gdy ktoś z sąsiadów »zapuszczał oko do jego klasówki«".

K iedy nadszedł dzień egzaminu maturalnego, Kluger siadł tuż za Wojtyłą, choć doskonale wiedział, że Karol nie ma zwyczaju podpowiadać ani podawać ściąg. Dlaczego więc zajął to właśnie miejsce?! Bo miał intuicję.

To był egzamin z łaciny: należało przetłumaczyć na język polski odę Horacego. A Jurek tego nie potrafił. Gryzł obsadkę, patrzył w sufit, a czas mijał. Wreszcie – tak, to była ostatnia deska ratunku – zaczął rozpaczliwie wpatrywać się w plecy przyjaciela, niemo błagając go o pomoc. I nagle... Karol powoli przesunął się na bok, odsłaniając kartkę ze swoim tłumaczeniem.

Po egzaminie – relacjonuje biograf – Jerzy Kluger podziękował przyjacielowi, który w odpowiedzi tylko uśmiechnął się przekornie.

Źródła: G. F. Svidercoschi, dz. cyt.; D. O'Brien, dz. cyt.; relacja Antoniego Bohdanowicza, *Wspomnienia kolegi z klasy*, w: *Młodzieńcze lata Karola Wojtyły. Wspomnienia*

Wspomina Halina Królikiewicz-Kwiatkowska, koleżanka z Wadowic: Jaki był Karol Wojtyła? Na pewno inny od swoich kolegów, odrębny. Ale co to znaczy? Trudno wytłumaczyć te cechy. Wesoły, bardzo koleżeński, pierwszy niosący pociechę w nieszczęściu, w chorobie, uprawiający sporty; zasadniczość była mu zupełnie obca. A przecież czuło się zawsze, że ma – w jakiś sposób niedostępny – swój świat myśli, że jest głęboko religijny, że umie najwięcej z nas wszystkich, że czyta trudne filozoficzne książki, które nas znudziłyby już po kilku stronach, że uczy się i nie traci na próżno ani chwili. I pisze – poematy, wiersze, dramaty filozoficzne dla nas zawiłe, a kiedy rozmawia, to uważnie słucha swego interlokutora, ale zawsze, nawet i dziś, w jego oczach błyskają iskierki ni to humoru, ni jakiejś ironiki czy też wyrozumiałości dla każdego, bo nigdy nie potępiał, nie pouczał, ale rozumiał. Dziennikarze często zadają pytanie, jakie miał wady. Nie wiem. Nie znam. Do gimnazjum biegł za trzy minuty ósma rano z pobliskiego rynku, obok którego mieszkał, i wpadał w ostatniej chwili do klasy z wielką, rozwichrzoną gęstwą włosów, które nigdy nie chciały go słuchać*.

Źródło: H. Królikiewicz-Kwiatkowska, *Wzrastanie*, w: *Młodzieńcze lata...*

* Fryzura Karola była przedmiotem żartów jeszcze na studiach. Wśród wierszyków pisanych przez studentów polonistyki znalazł się i taki: „Młodym rybom brak podniebień/Czy Wojtyła ma już grzebień?".

Jesienią 1938 roku Karol Wojtyła zapisał się na I rok polonistyki na Uniwersytecie Jagiellońskim.

Ostatnią ławę w głównej sali wykładowej – pisze Tadeusz Kwiatkowski, kolega Karola ze studiów – zajęło dobrane towarzystwo adeptów literatury pięknej, które naturalnie trochę nonszalancko traktowało długie perory profesorów starających się zachęcić nas do nauki. Wojtyła siedział o wiele bliżej katedry i nie zajmował się żartami i różnymi dwuwierszami, które układaliśmy na poczekaniu „ku pokrzepieniu serc". Fraszki i epitafia dotyczyły profesorów i kolegów, i oczywiście Wojtyły.

Oto przykłady tej twórczości: „Damy słuchaczowi rząd i konia, kto zrozumie wykłady Pigonia", „Starszy asystent Kazimierz Wyka wykłada na poziomie »Płomyka«", „Spójrzcie tylko na Hołuja, zawsze smutny jak tuja".

Wierszyki to niezbyt wyszukane, ale bawiły nas w czasie wykładów, które wydawały nam się nudne i niepotrzebne – kontynuuje Kwiatkowski. – Kiedy Karol dostawał taką karteczkę, wzruszał ramionami i spozierał na nas z politowaniem. A my pękaliśmy ze śmiechu, gdy koledzy podsuwali mu coraz to nowe płody naszej twórczości wykładowej: „Poznajcie Lolka Wojtyłę, wnet poruszy ziemi bryłę".

Źródło: T. Kwiatkowski, *Karol*, w: *Młodzieńcze lata...*

Opowiada Juliusz Kydryński, najbliższy przyjaciel z czasów studenckich: Karol był dyskutantem wyrozumiałym, nigdy nie usiłował narzucić swego zdania. Wiedzieliśmy oczywiście, że jest głęboko wierzącym i praktykującym katolikiem, lecz taką postawę (do tego ze skłonnościami do bigoterii) manifestował raczej Ż., poza tym żyjący dość swobodnie. Karol nie manifestował niczego; ale też żył w swojej dyscyplinie wewnętrznej, bardzo surowej, lecz dyskretnej, nie obnoszonej na zewnątrz.

Wydaje się, że Karola trudno było w sposób złośliwy zgorszyć, sprowokować, oburzyć. Zdawał się – już wtedy – rozumieć i wybaczać wszystko. Karol zachowywał się tak samo wobec wszystkich: nie czynił nigdy różnic między kolegami z powodu ich takich czy innych przekonań i poglądów. Brzydził się może tylko zdecydowanymi bojówkarzami – no, ale z tymi się nie kolegował.

Źródło: J. Kydryński, *Pomazaniec z Krakowa*, w: *Młodzieńcze lata...*

Jego bliscy koledzy z ławy uniwersyteckiej przybili kiedyś na drzwiach jego pokoju w Bursie Akademickiej, tzw. Pigoniówce, wizytówkę: „Karol Wojtyła – początkujący święty".

Źródło: relacja Danuty Michałowskiej,
w: *Kalendarium życia Karola Wojtyły*

Także na uniwersytecie, wśród studentów, panowała wówczas atmosfera nieprzychylna Żydom.

Mówi Zofia Żarnecka, koleżanka ze studiów: Pamiętam, że Karol Wojtyła bardzo często towarzyszył Ance Weber i pełnił wobec niej szczególną rolę. Mianowicie – tak to odbierałam wówczas, a i teraz również – ochraniał ją, Żydówkę, przed ewentualną agresją „wszechpolaków". Jego stosunek do młodzieży wszechpolskiej był negatywny, z czym się nie krył.

Nie uważam, aby czymkolwiek specjalnie wyróżniał się wśród studentów, poza odważnym – jak na owe czasy – sprawowaniem opieki nad koleżanką Żydówką. W kręgu moich najbliższych kolegów cieszył się sympatią i uznaniem. Skromny, spokojny, zawsze bardzo ubogo ubrany, robił wrażenie wiejskiego chłopaka, towarzysko niewyrobionego, ale z charakterem, wyraźnie „odbijał" od ekspansywnych i pewnych siebie kolegów.

Źródło: relacja Z. Żarneckiej, w: *Kalendarium...*

1 września 1939 roku wybuchła wojna. Uniwersytet został zamknięty. Karol Wojtyła, żeby zdobyć kartki żywnościowe dla siebie i ojca i uchronić się przed wywózką na roboty do Rzeszy, poszedł do pracy: do fabryki sody „Solvay". Na początek trafił do kamieniołomu – rozbijał bloki wapienne, pracował też przy kolejce wąskotorowej.

W kamieniołomach robotnicy umówili się, żeby nie pomagać koledze w podnoszeniu przewróconego wagonika, bo ten – męcząc się z tym sam – przedłużał czas odpoczynku kolegów, a przez to i Niemcy mieli mniej wykonanej pracy *für Sieg*, dla zwycięstwa. Wszyscy robotnicy temu się podporządkowywali – jedynie akademik Wojtyła nie mógł znieść widoku długiego męczenia się kolegi z podniesieniem tego wagonika i zawsze mu pomagał.

Źródło: relacja Mariana Piwowarczyka, w: *Kalendarium...*

Wkrótce Karol został pomocnikiem strzałowego – specjalisty od zakładania ładunków wybuchowych i wysadzania skał.

Jan Paweł II: Przydzielono mnie do pomocy tak zwanemu strzałowemu. Nazywał się on Franciszek Łabuś. Wspominam go dlatego, że nieraz tak się do mnie odzywał: „Wicie co, Karolu, wy to powinniście iść na księdza. Dobrze by wam było. Bo śpiwoć, to śpiwocie ładnie...".

Franciszek Łabuś: Przyszedł taki młodziutki do roboty, tak mi żal go było, nie wiem, ale do niczego się nie nadawał. Myślałem sobie, najlepiej by mu było iść na księdza. Miał takie delikatne rączęta. Ja nie dałem mu robić, ale on robił. Mnie było przecież ze świata, a jemu do świata. Pomagał mi w nawijaniu drutu, nosił środki strzałowe za mną. Razu pewnego, jak zwykle, ja ładował, a on przy mnie stał. Ja mu mówił, lepiej tobie będzie zostać księdzem, a on się tylko uśmiechał. Potem mi wspomniał, że został tym księdzem.

Źródła: Jan Paweł II, *Dar i Tajemnica*; relacja ks. Józefa Tischnera przekazana autorowi wyboru; relacja F. Łabusia, w: *Przez Podgórze na Watykan*

Pomimo wielu wyczerpujących zajęć Wojtyła nie zrezygnował jednak z pracy nad sobą, z nauki ani z teatru.

Gdy spojrzałem na książki w mieszkaniu Karola – wspomina Tadeusz Kwiatkowski – o wielu z nich nie miałem zielonego pojęcia. Same dzieła filozofów, jakieś tomy rozpraw religijnych. Nie interesowało mnie to.

– Czy ty to wszystko przeczytałeś? – spytałem go, wskazując na półkę z książkami.

– Jeszcze nie wszystkie – odpowiedział – ale przeczytam.

Kiedyś zapytałem Karola, czy zna *Trzy zimy* Miłosza.

– Czytałem – skinął głową. – Piękne wiersze.

– Człowieku – zawołałem – kiedy ty masz czas na to wszystko? Harujesz w Solvayu, chodzisz na próby teatralne rapsodyków, zajmujesz się filozofią.

– Dla chcącego nic trudnego – uśmiechnął się i poklepał mnie po ramieniu.

Źródło: T. Kwiatkowski, dz. cyt.

W Krakowie Karol Wojtyła mieszkał razem ze swoim ojcem na Dębnikach, przy ul. Tynieckiej, w domu należącym do najbliższych krewnych zmarłej kilka lat wcześniej matki.

Kiedy ojciec umarł, Karol nie chciał być sam w opustoszałym mieszkaniu – przeprowadził się wtedy do zaprzyjaźnionej rodziny Kydryńskich.

Wspomina Juliusz Kydryński: Było to jeszcze w roku 1941, w czasie gdy Karol mieszkał z nami na Felicjanek. W owych latach wojny krążyły rozmaite przepowiednie. Nie dowierzając im naturalnie, czytało się je jednak z zapałem, szukając w nich irracjonalnej pociechy. Między innymi popularna była tzw. przepowiednia z Tęgoborza. I pamiętam dokładnie tę chwilę, kiedy siedzieliśmy razem z Karolem przy biurku, a przed nami leżał tekst owej przepowiedni, której fragment brzmiał:

„...trzy świata rzeki
dadzą trzy korony
Pomazańcowi z Krakowa..."

Przeczytawszy te słowa, a będąc zawsze skłonny do rozmaitych wygłupów, poklepałem – pamiętam – Karola po ramieniu i zawołałem:

– No, Karolku, „Pomazaniec z Krakowa" to oczywiście ja! Ale kim ty będziesz?

Źródło: J. Kydryński, dz. cyt.

Stare mieszkanie na Dębnikach – dwa pokoiki z kuchnią, niemalże w suterenie – zwane było przez przyjaciół „katakumbami". „Katakumby" stały puste, dopóki w sierpniu 1941 roku nie wprowadził się do nich Mieczysław Kotlarczyk z rodziną. Kotlarczyk nie miał w Krakowie żadnego locum – na Tyniecką zaprosił go Wojtyła. Ale założyciel Teatru Rapsodycznego postawił przyjacielowi pewien warunek: zajmie jeden pokój, jeśli w drugim na nowo zamieszka Karol. I tak się stało.

Mówi ksiądz Mieczysław Maliński, przyjaciel i biograf Papieża: Słyszałem z ust Kotlarczykowej, że nieraz, gdy przechodzili w nocy przez jego skromny pokoik, który dzielił ich od kuchni i ubikacji, natykali się na niego leżącego krzyżem albo śpiącego nie w łóżku, tylko na podłodze.

Źródło: ks. M. Maliński, *Przewodnik po życiu Karola Wojtyły*

Wspólne zamieszkiwanie już wkrótce zaowoco-wało nowymi przedstawieniami rapsodyków, chociaż – jak napisze potem Jan Paweł II – „od pewnego momentu zdawałem sobie sprawę, że teatr nie jest moim powołaniem".

Tadeusz Kwiatkowski: Wspominam jeszcze dzisiaj chwilę, jaką przeżyłem na jednym z tajnych przedstawień Teatru Rapsodycznego. Był to wieczór poświęcony *Panu Tadeuszowi*. Jeden z wykonawców, Karol Wojtyła, recytował powoli, w skupieniu, fragmenty ze spowiedzi księdza Robaka. Naraz w ciszy odezwał się głośnik niemieckiego radia, zainstalowany naprzeciw kamienicy, w której odbywało się przedstawienie. „Główna kwatera naczelnego wodza podaje do wiadomości..." I padły słowa o zwycięstwach, jakie odnosił oręż niemiecki nad Europą. Recytator nie przerwał, nie zmienił tonu. Mówił cicho, spokojnie, jakby nie słyszał tubalnego tonu spikera. Mickiewicz nie podjął krzykliwej walki. Kiedy szczekaczka kończyła pochwałę niemieckich zbrodni, Mickiewicz głosił pojednanie Soplicy z Klucznikiem. Wtedy właśnie, gdy stanęła wojna w cesarskim gabinecie. Spojrzałem po twarzach zebranych gości. Ta sama myśl ożywiła nasze oczy. Czuliśmy się wszyscy synami narodu, który, choć niejednokrotnie oszukany na przestrzeni wieków, nie ulegnie przemocy. Chwila była naprawdę osobliwa.

Źródło: T. Kwiatkowski, *Krakowski teatr konspiracyjny*, w: „Pamiętnik Teatralny" 1963

Karol powoli dojrzewał do wyboru kapłaństwa – jesienią 1942 roku powziął ostateczną decyzję wstąpienia do Krakowskiego Seminarium Duchownego. Miało ono wtedy charakter tajny. Karol uczył się i zdawał egzaminy, mieszkając nadal w domu przy Tynieckiej i pracując w fabryce „Solvay" – już nie w kamieniołomie, lecz w oczyszczalni sody.

Mówi Józef Pachacz, robotnik z „Solvayu": Spotkałem go na zakładzie. Była dwunasta godzina. Dzwoniło na „Anioł Pański". Dzwonek usłyszał, wiadra położył, przeżegnał się i modlił się. Potem wstał i poszedł dalej. Nie krępował się niczym.

Był bardzo pobożny – wspomina Władysław Cieluch, kolega Karola Wojtyły z pracy. – Na nocnej zmianie, około dwunastej w nocy, klękał na środku oczyszczalni i modlił się. Niejednokrotnie podchodziłem do niego i półgłosem, ażeby nie przeszkadzać w modlitwie, zawiadamiałem, że skropliny są mocne. Po chwili kończył modlitwę i zabierał się do pracy. Nie wszyscy jednak pracownicy odnosili się z szacunkiem do człowieka pobożnego. Byli i tacy, którzy w czasie modłów rzucali w niego pakułami lub innymi przedmiotami.

Źródło: relacje J Pachacza i W. Cielucha,
w: *Przez Podgórze na Watykan*

K iedyś, było to w zimie, Karol Wojtyła przyszedł do pracy spóźniony, trząsł się z zimna. Jak się okazało, nie miał na sobie podszytej futerkiem kurtki, w której zwykle chodził. Koledze, Józefowi Dudkowi, wyjaśnił, że spotkał na ulicy starego człowieka, lekko pijanego, bliskiego zamarznięcia. Oddał mu swoje okrycie, uważając, że młodszemu łatwiej wytrzymać ziąb.

Józef Dudek pamięta również, jak kiedyś Wojtyła przekonał robotników, by zrezygnowali z samosądu na koledze – folksdojczu.

Źródło: relacja J. Dudka, w: *Kalendarium...*

W sierpniu 1944 roku, ze względów bezpieczeństwa, wszyscy klerycy tajnego seminarium zamieszkali w pałacu arcybiskupim.

Mówi ksiądz Franciszek Konieczny, wówczas jeden z kleryków: Patrzyliśmy codziennie na kolejki biedaków gromadzących się przed poczekalnią u pana Franciszka, chcących uzyskać zezwolenie na „posłuchanie" u Księcia Metropolity. Po jakimś czasie zaczęła się też gromadzić „bieda krakowska" pod drzwiami naszego mieszkania – konkretnie domagano się przywołania księdza Wojtyły. Pamiętam, jak zapukał do naszego pokoju mężczyzna i poprosił o przywołanie księdza Karola. Ten podszedł do proszącego, rozmawiając z nim na korytarzu. Wraca do siebie. Schyla się i z walizeczki, znajdującej się pod łóżkiem, zabiera sweter, kryjąc go pod sutanną. Wychodzi i zaraz wraca, już bez widocznego poprzednio „uwypuklenia". Oddał biedakowi swój nowiutki sweter, który dopiero wczoraj otrzymał od pana Kotlarczyka. Sam marzł i dygotał z zimna. Nie wiem, skąd brał i czym obdzielał. Ale często przychodzili ludzie i pytali o niego. Dzielił się z biedakami, czym mógł.

Źródło: relacja ks. F. Koniecznego, w: *Kalendarium...*

40

Dla Żydów wojna oznaczała zagładę. Karol Wojtyła nie był w żaden sposób zaangażowany w konspiracyjną akcję pomocy Żydom, a przynajmniej nic o tym oficjalnie nie wiadomo, chociaż znany żydowski działacz społeczny Józef Lichten, wspominając Wojtyłę z tamtych czasów, pisał o „młodzieńcu, który doświadczył nazistowskiej okupacji i niejednemu pomógł w ciężkiej chwili". Sam Papież, wprost zapytany o to przez księdza Adama Bonieckiego, odpowiedział: „Nie, niestety nie miałem takiej okazji. Być może jakieś listy czy przesyłki, które dotyczyły ratowania Żydów, przenosiłem od pani Szkockiej, zaangażowanej, zdaje się, w tę akcję, ale ja o tym nie wiedziałem...".

Niemniej, w roku 1998, izraelski tygodnik „Kolbo" opublikował relację 66-letniej Edith Zirer, Żydówki, która twierdzi, że uratował ją Karol Wojtyła.

B ył rok 1945. Edith Zirer miała wtedy 13 lat. Po wyzwoleniu Auschwitz znalazła się na stacji kolejowej w Krakowie. „Byłam przekonana, że to już koniec – opowiada. – Położyłam się na ziemi. W tej właśnie chwili pojawił się jak anioł, jak sen z nieba, młody Karol Wojtyła. Podszedł do mnie z garnuszkiem herbaty, następnie podał mi kanapkę z serem. Próbowałam wstać, lecz zaraz upadłam na ziemię. Wówczas on wziął mnie na ręce i niósł na plecach. Pamiętam jego brązową kurtkę, jego spokojny głos, kiedy mi opowiadał o śmierci swoich rodziców i brata, o swojej samotności i o tym, żeby się nie zniechęcać, ale walczyć o życie".

Źródła: Biuletyn Prasowy KAI (nr 12/1998); J. Szczypka, *Jan Paweł II. Rodowód*; *Życiorys nie do popsucia. Z ks. Adamem Bonieckim rozmawia Tomasz Fiałkowski*, w: „Tygodnik Powszechny" nr 12/1999

Wiosną 1945 roku wojna się skończyła. Zaczął funkcjonować Uniwersytet. Wydawało się, że to początek powrotu do normalności.

Wspomina ksiądz Andrzej Baziński, kolega z seminarium: Rok 1945 – to był czwarty rok studiów. Razem zdążaliśmy z seminarium do Collegium Novum, głównego gmachu UJ, w którym mieścił się również Wydział Teologiczny. Zatrzymuje nas ubogo ubrana niewiasta, pyta: „Który z was jest ksiądz Wojtyła?" i wyjaśnia przyczynę zatrzymania. „Ksiądz pracował razem z moim mężem w fabryce krakowskiej w latach okupacji. W tym czasie urodziłam dziecko. Mąż pracował na nocnej zmianie. Kiedy Ksiądz dowiedział się o naszej ogromnej radości, po przepracowanym dniu podjął nocną pracę palacza za mojego męża, by mógł być przy mnie i dziecku. Te noce zastępcze powtórzył Ksiądz w fabryce aż do czasu, kiedy powróciłam do sił. Ksiądz mnie zupełnie nie znał, a tyle serca okazał mnie i mojemu dziecku. Do końca swojego życia będziemy Księdzu wdzięczni i tę wdzięczność przekażemy naszemu dziecku. Proszę przyjąć od nas skromny upominek wdzięczności – nowe buty". Mówiła te słowa, mając łzy w oczach. Pamiętam, że w milczeniu doszliśmy do Collegium, byłem tak wzruszony. Prezent – nowe buty – był tylko kilka dni w szafce seminaryjnej. W tajemnicy przed kolegami przekazał je potrzebującemu robotnikowi w Krakowie i dalej chodził w swoich starych, mocno podniszczonych butach.

Źródło: relacja ks. A. Bazińskiego, w: *Kalendarium...*

Ksiądz

Karol Wojtyła przyjął święcenia kapłańskie 1 listopada 1946 roku. A już dwa tygodnie później jechał na studia teologiczne do Rzymu. Przed wyjazdem zdążył jeszcze udzielić sakramentu chrztu córce swoich przyjaciół, Haliny i Tadeusza Kwiatkowskich.

Dziecko było zaziębione, na dworze plugawa pogoda – wspomina Tadeusz Kwiatkowski. – Karol zdecydował, że przyjdzie do naszego mieszkania i dokona obrzędu. Świeżo upieczony ksiądz oświadczył nam z góry, że jest to pierwszy chrzest, jakiego udziela w życiu, więc może nie wypadnie zbyt okazale, bo i trema, i brak doświadczenia nie pozwolą na odpowiednią celebrę. Zaraz potem miał pociąg do Katowic, by stamtąd jechać już prosto do Włoch. Przyniósł ze sobą niewielką walizeczkę i położył na krześle. Halina krzątając się po mieszkaniu, trąciła walizeczkę, która spadła na podłogę. Wypadły z niej dwie kromki chleba z kawałkami słoniny.

To była cała jego żywność na długą i męczącą podróż*.

Źródło: relacja T. Kwiatkowskiego,
w: J. Szczypka, dz. cyt.

* Zamieszczamy tę relację, choć nie całkiem poświadczają ją dokumenty. Chrzest Moniki Kwiatkowskiej odbył się 11 listopada, a wedle *Kalendarium...* Wojtyła wyjeżdżał z Krakowa cztery dni później. Niemniej – jak komentuje Szczypka – „ów cokolwiek ascetyczny obraz dwu kromek jest sugestywny. Niewątpliwie pasuje do tego księdza, który długo jeszcze będzie musiał się zmagać z niedostatkiem".

*Po powrocie zza granicy, w roku 1948 młody
ksiądz doktor został skierowany do pracy w wiej-
skiej parafii Niegowić.*

Pisze Tadeusz Kudliński, teatrolog, przyjaciel
Karola z czasów okupacji: Po dwu latach
nieobecności w kraju powrócił ksiądz Wojtyła
i zjawił się u mnie – już z piętnem wielkoświa-
towego obycia. Odżyły dawne wspomnienia,
a w toku rozmowy zapytałem gościa o pełnioną
przez niego aktualnie funkcję, sądząc, że będzie
rangi kurialnej wobec dotychczasowych prefe-
rencji.

– Ale gdzież – zaśmiał się ksiądz Wojtyła. –
Mam nominację na wikarego w Niegowici.

– W Niegowici? A gdzie to?

– Koło Wieliczki.

– Wiocha?

– Tak, wioska. Trzeba zaczynać od dołu.

Źródło: T. Kudliński, *Glosy teatromana do młodzieńczej
biografii Jana Pawła II*, w: *Młodzieńcze lata...*

Mieszkańcy Niegowici do dziś ciepło wspominają swojego dawnego wikarego.

Stanisław Substelny: Jechałem koniem po mleko w stronę Gdowa. Spotkałem się z takim gościem... Szedł od Gdowa. Miał cajgowe spodnie, kamizelkę, trzewiki bardzo kiepskie i taką teczkę, że ja bym się na jarmark wstydził z taką iść. Zapytał mnie, gdzie jest najbliższa droga do Niegowici. Mówię mu, żeby szedł na tę kapliczkę w Marszowicach, a potem przez pole. Zapytałem, po co tam idzie, bo widziałem, że to obcy. Powiedział, że idzie służyć na parafię. Myślę sobie, że to na pewno ksiądz. Mówię, że go zawiozę, ale odmówił. Poszedł w stronę kapliczki. Patrzyłem, czy dobrze skręci. A on ukląkł przed kapliczką i długo się modlił. Potem wstał i skręcił, gdzie wskazałem.

Stanisław Wyporek: Był człowiekiem skromnym. Będąc wiele razy w jego mieszkaniu w Niegowici, widziałem, jak mieszka. Nie miał nawet poduszki pod głowę. Nosił wtedy na sutannie taki wełniany „kubrak", który służył mu także jako poduszka. Kiedy powiedziałem kobietom z Rodziny Różańcowej o tej kubrakowo-poduszkowej sprawie, zawstydziły się pewnie trochę, bo zaraz przyniosły na wikarówkę poduchę. Nie miał jej jednak, o ile pamiętam, zbyt długo. Tamtej zimy spaliło się w parafii jakieś gospodarstwo. Ludzie zostali bez dachu nad głową. Podobno ksiądz Karol oddał im wtedy tę swoją poduszkę.

Tadeusz Turakiewicz: To był ksiądz, nie znajdziesz takiego! Co ci prości ludzie widzieli w nim takiego nadzwyczajnego? Co było w nim takiego? Modlitwa, pokora i ubóstwo. Wstawał rano, wolno szedł ścieżką ku Wiatrowicom albo chodził wkoło kościoła z książką i się modlił. A ubóstwo? Gdy chodził po kolędzie, to, co brał od bogatych, zostawiał u biednych, a na plebanię wracał z pustymi rękami. Stale chodził do biednych. Była tu taka, Tadeuszka ją nazywali, kobieta z Klęczan. Poszła kiedyś do niego się użalić, bo ją okradli. Dał jej, co miał. Nawet poduszkę i pościel. Ludzi to nawet gniewało, dopiero co wszystko mu kupili, bo spał na gołym... A pokora? Z każdym potrafił rozmawiać, choć już był po studiach rzymskich!

Źródła: relacje S. Substelnego i T. Turakiewicza, w: ks. K. Pielatowski, dz. cyt.; relacja S. Wyporka, w: ks. J. Cielecki, *Wikary z Niegowici. Ksiądz Karol Wojtyła*

W relacjach świadków z tamtych lat uderzające jest przede wszystkim ubóstwo księdza Wojtyły.

Nie miał nigdy oszczędności w banku, nigdy nawet nie miał żadnych osobistych pieniędzy – pisze autor *Świadka nadziei* George Weigel. – Praktykował różne formy samodyscypliny i wyrzeczenia. Własność nic dla niego nie znaczyła, może z wyjątkiem ekwipunku narciarskiego i turystycznego, który przyjmował od swoich przyjaciół. Mieczysław Maliński wyrzucił raz starą zardzewiałą brzytwę swojego przyjaciela i jako imieninowy prezent dał mu nową. Był pewien, że gdyby tej starej nie wyrzucił, Wojtyła oddałby komuś i ten upominek, jak robił z większością prezentów. Zawsze nosił starą sutannę i stare buty. Maliński wspomina, że patrząc na niego, można by pomyśleć, że to żebrak, kloszard, nikt.

Źródło: G. Weigel, dz. cyt.

To właśnie w Niegowici mogła wydarzyć się historia, którą szczegółowo opisała Yaffa Eliach w wydanej w Nowym Jorku książce Hasidic Tales of the Holocaust. *Zamieszczamy ją tutaj, choć nie potwierdza jej żaden biograf Karola Wojtyły. W rozmowie George'em Weiglem Jan Paweł II powiedział, że „to jest »legenda«, dodając: »po prostu tego nie pamiętam«".*

D o młodego księdza Wojtyły przyszła pani Jachowiczowa z Dąbrowy. Słyszała o nim wiele dobrego. Prosiła go o chrzest dla kilkuletniego chłopca, wyznając w sekrecie, że jest to dziecko żydowskie. Matka chłopca, która zginęła w getcie krakowskim, przyniosła go do Jachowiczów, gdy miał trzy latka, i błagała, żeby ratowali jej dziecko. Obiecali to uczynić: ukrywali chłopca. Teraz, kiedy wojna się skończyła, uznali, że należy go ochrzcić.

Jednak ksiądz Wojtyła stanowczo im odmówił: chłopiec miał krewnych w Ameryce, a jego matka prosiła, żeby go do nich odesłać, jeśli ocaleje. Mały Hiller niedługo potem dotarł do rodziny za oceanem.

Jeden z rabinów usłyszawszy tę historię powiedział, iż ksiądz Wojtyła być może również dlatego został papieżem, że wówczas ocalił „niewinną duszę żydowską".

Źródła: J. Szczypka, dz. cyt; G. Weigel, dz. cyt.

Następną placówką duszpasterską księdza Woj-
tyły był Kraków: parafia św. Floriana. To wła-
śnie tutaj narodziło się niekonwencjonalne dusz-
pasterstwo akademickie prowadzone przez księ-
dza, którego studenci nazywali Wujkiem.

Zaczęło się od dwóch dziewczyn, Teresy i Zo-
si. Obie bardzo chciały, żeby u Świętego Floriana powstało duszpasterstwo akademickie. Ale
kto ma je prowadzić?! Jak znaleźć księdza: duszpasterza, ojca i przyjaciela? Na te pytania nie
znały jeszcze odpowiedzi. I kiedy tak siedziały
w kościele po zakończonej właśnie Mszy świętej, zobaczyły nagle księdza Wojtyłę: „Szedł lekko pochylony, tak że niesforny kosmyk włosów
opadał mu na czoło. W jego twarzy była jakaś nieobecność, jakby był »w środku«, choć widział
wszystko, co go otacza".

„Ale wówczas – wspomina Zofia Lubertowicz
– zafascynowało nas nie tylko to, co emanowało
z jego postaci, ale coś prostszego, coś, co kon-
trastowało w wyglądzie zewnętrznym z sylwetką
innych »świeżo upieczonych« księży. Ich wypie-
lęgnowany wygląd, nienaganna fryzura, sutanna
»spod igły« i nieskazitelnie, nawet od spodu wy-
czyszczone buty budziły wątpliwość, czy w takich
butach można dotrzeć przez często brudne lub

zabłocone ulice do tych, którzy najbardziej potrzebują pomocy. Tymczasem idący przez kościół ksiądz miał mocno sfatygowaną sutannę, nawet z dyskretną łatą od dołu, i jeszcze bardziej sfatygowane buty... Te buty powiedziały nam więcej o młodym wikarym niż jego starannie przygotowane kazanie, którego wysłuchałyśmy w najbliższą niedzielę.

Spojrzałyśmy na siebie i... już wiedziałyśmy. Mamy akademickiego duszpasterza!"

Źródło: Z. Lubertowicz, *Buty*, w: *Zapis drogi. Wspomnienia o nieznanym duszpasterstwie księdza Karola Wojtyły*

Wujek lubił wycieczki. Zabierał na nie swoich wy-chowanków, ale też często szedł w góry samotnie.

Pewnego razu sam poszedł w góry. Ubrany na sportowo niczym nie różnił się od innych turystów. W trakcie wędrówki spostrzegł, że zapomniał zegarka, podszedł więc do opalającej się na uboczu młodej wczasowiczki, by zapytać ją o godzinę, kiedy ta go ubiegła:

– Zapomniał pan zegarka, co?

Wojtyła był lekko zaskoczony:

– Skąd pani wie?

– Z doświadczenia – odpowiedziała kobieta. – Jest pan dziś już dziesiątym mężczyzną, który „zapomniał" zegarka. Zaczyna się od zegarka, potem proponuje się winko, wieczorem dansing...

Wojtyła przerwał:

– Ależ, proszę pani, ja jestem księdzem!

Wczasowiczka wybuchnęła śmiechem:

– No wie pan! Podrywano mnie na różne sposoby, ale „na księdza" to pierwszy raz!

Karol Wojtyła uśmiechnął się i zerknął na zegarek nieznajomej. Kiedy odchodził, usłyszał jej szept:

– O rany! To chyba rzeczywiście ksiądz.

Opowieść apokryficzna, źródło: J. I. Korzeniowski, dz. cyt.

Zdarzyło się to na Prehybie – opowiada ks. Mieczysław Maliński. – Byliśmy tam chyba po raz pierwszy w życiu, zmyliliśmy szlaki. Złapała nas noc, schodziliśmy po ciemku. Na szczęście natrafiliśmy na ludzi wracających ze zbierania borówek. Dołączyliśmy do nich, zeszliśmy do wsi, dopytaliśmy się o plebanię. Karol został przy płocie. Ja poszedłem pogadać z proboszczem. Wyjaśniłem mu, że jestem księdzem i proszę o nocleg. Pokazałem dokumenty. Proboszcz popatrzył na mnie ze zdumieniem, ale i z oburzeniem. Trochę mi nawymyślał, że księdza obowiązuje szata duchowna. Gdy powiedziałem, że mam ją w plecaku, to wprawiło go w jeszcze większą złość. Polecił gospodyni przygotować dla nas miejsce w szopie. Rano przyszliśmy do zakrystii, żeby odprawić Mszę świętą. Ubraliśmy się w lekko wymięte sutanny. Proboszcz ani się do nas nie odezwał w zakrystii, ani nie zaprosił nas na śniadanie, jak to jest w Polsce w zwyczaju.

Ale nie ma się co dziwić. Wtedy ksiądz w cywilu chodzący po górach był zjawiskiem jeszcze nie znanym. Niejaka konsternacja nastąpiła po latach, kiedy Karol jako biskup sufragan przybył do tej parafii na wizytację i zastał tego samego proboszcza. Oczywiście, skończyło się na śmiechu...

Źródło: ks. M. Maliński, dz. cyt.

W odpowiedzi na pytanie redakcji „Homo Dei",
na czym polega duszpasterstwo turystyczne,
ksiądz Karol Wojtyła pisał: „... zadaniem dusz-
pasterza jest żyć razem z ludźmi wszędzie,
gdziekolwiek oni się znajdują, być z nimi we
wszystkim »prócz grzechu«. (...) Na wędrów-
kach rozmawia się... Niekoniecznie muszą to być
tzw. rozmowy zasadnicze. Chodzi o to, ażeby
umieć rozmawiać o wszystkim, o filmach,
o książkach, o pracy zawodowej, o badaniach
naukowych i jazz-bandzie... Nieraz w ciągu
tych lat nachodziła mnie myśl, czy korzystając
z różnych sposobności do uprawiania takiego
duszpasterstwa turystycznego, nie rozmieniam
swojego kapłaństwa na drobne? Zawsze jednak
po długiej refleksji, po dniach skupienia i modli-
twie, dochodziłem do wniosku, że mogę, a na-
wet powinienem to czynić, jest to bowiem wbrew
pozorom działalność kapłańska".

Mówi Zofia Abrahamowicz-Stachura, krakowska wychowanka „Wujka" Wojtyły: Kiedyś, po zejściu z Turbacza, idziemy do Nowego
Targu do Danusi, która zaprosiła nas na pieczo-
nego indyka. Indyk prezentuje się wspaniale,
a my: zdrożeni, wygłodniali studenci. Więcej
można by już nie pisać na ten temat, ale... Wujek

nagle zaczyna mówić po francusku, a Staszek „tłumaczy" go na polski, całkowicie dowolnie improwizując – nie zna bowiem francuskiego, opiera się tylko na fonetycznym podobieństwie wyrazów! Wypada to tak zabawnie, że kwitujemy każde „tłumaczenie" niepohamowanym śmiechem. Moja porcja indyka pozostaje prawie nienaruszona...

Źródła: Ksiądz, *List do redakcji w sprawie campingu*, „Homo Dei" nr 3 (81), maj–czerwiec 1957;
Z. Abrahamowicz-Stachura, *Zawsze z Wujkiem*, w: *Zapis drogi...*

Po śmierci kardynała Sapiehy nowy rządca archidiecezji arcybiskup Eugeniusz Baziak skierował księdza Karola Wojtyłę do pracy naukowej. Wojtyła zaczął pisać habilitację i został wykładowcą w seminarium duchownym.

Przychodził na wykłady w stroju nietypowym jak na profesora – wspomina ksiądz Romuald Waldera, wówczas kleryk. – Zamiast dostojnego czarnego kapelusza nosił skórzaną pilotkę, a na sutannę zakładał ciemnozielony płaszcz, uszyty z materiału przeznaczonego chyba na koc. W wiosenne i letnie dni przerzucał przez krzesło tzw. prochowiec, który – jak to zdążyłem stwierdzić – był lichszy od mojego.

Najciekawsze były comiesięczne kolokwia. Były to właściwie powtórki przerobionego materiału, w czasie których prowokował nas do swobodnych wypowiedzi. Kiedyś zdobyłem się na odwagę i wyrzuciłem z siebie wszystko, co mnie wewnętrznie gryzło.

Byłem wtedy dwudziestolatkiem naszpikowanym wykładami, których słuchałem na Wydziale Prawa UJ. Prawdopodobnie wypowiadałem same herezje, a może nawet bluźnierstwa, gdyż kolega kopał mnie w kostkę i szeptał z troską: „skończ, bo cię wyleją"; inni kręcili się niespokojnie. To był dla mnie podniecający doping, tym bardziej że Ksiądz Profesor spacerował po podium z założonymi do tyłu rękami, ze zwieszoną głową. Gdy mi już ulżyło, usiadłem spocony. Teraz niech się dzieje, co chce, ale ja musiałem to powiedzieć.

Przez chwilę panowała w sali napięta i ciężka cisza. Wreszcie Ksiądz Profesor stanął na środku podium i powiedział zdanie, którego nikt się nie spodziewał:

– Proszę księży, to, co wasz kolega tutaj powiedział, świadczy o tym, że zaczyna myśleć teologicznie...

A potem zaczął spokojnie prostować wszystkie krzywizny mego myślenia...

Źródło: relacja ks. R. Waldery, w: *Kalendarium*...

W tym czasie Wojtyła pomagał w pracy dusz-pasterskiej w kościele Mariackim. I mimo mło-dego wieku, stawał się w Krakowie (a i poza nim) coraz bardziej znany.

Opowiada Tadeusz Kudliński: Zastałem go na stanowisku wikarego w kościele Naj-świętszej Marii Panny. Proboszczem – infułatem w tej „katedrze mieszczańskiej” był ksiądz Fer-dynand Machay. Tenże opowiadał mi, że jego nowy wikary zyskał sobie niezwykłą popularność wśród parafian, szczególnie wśród młodzieży.

– Niech pan sobie wyobrazi – perorował mój dawny proboszcz, weredyk – jestem u siebie w zakrystii, ktoś puka, uchyla drzwi i zapytuje ciszkiem: czy jest ksiądz Wojtyła? Odpowiadam, że nie ma. Za chwilę puka drugi typ z tym sa-mym zapytaniem, potem trzeci i piąty. Wszyscy pytają tylko o Wojtyłę. A cóż u Boga Ojca! – wo-łam za którymś tam razem – ciągle tylko Wojtyła i Wojtyła! Jakby tu mnie nie było! Proboszcza!

Źródło: T. Kudliński, dz. cyt.

Wtedy też – już po habilitacji – rozpoczął wykłady na Katolickim Uniwersytecie Lubelskim.

Księdza docenta Karola Wojtyłę poznałem jako student I roku filozofii KUL – wspomina Jerzy Gałkowski. – Dopiero od paru lat wykładał na naszej uczelni, a już należał do najbardziej popularnych profesorów. W największej sali na jego wykładach był zawsze tłok. Siedzieliśmy na oknach, na podłodze, staliśmy pod ścianami. Wśród słuchaczy byli często również studenci innych wydziałów. Pamiętam słowa kolegi, księdza, że słucha pilnie (i nadprogramowo) tych wykładów, bo to jest najlepszy materiał do kazań. Wojtyła był znakomitym wykładowcą. Nie tyle teoretyzował, ile ukazywał życiowy sens omawianych problemów. Dobrze pamiętam jego słowa: uprawianie etyki to nie tylko teoria...

Zauważyliśmy również coś innego: jego przetarte rękawy u sutanny, zniszczone zielone spodnie od dresów, podniszczone buty. Zwróciliśmy również uwagę na jego modlitwę. Był chyba jedynym, który w przerwach między zajęciami po prostu modlił się w kościele.

Pamiętał o naszych kłopotach. Mam jego kartki, w których pisze o swojej modlitwie o zdrowie, a później o spokój duszy moich rodziców. Miał czas dla wszystkich – kosztem swojego. Prawda też, że dzięki temu ciągle był opóźniony. W Lublinie śmialiśmy się często, że na wykłady przychodzi według czasu środkowokrakowskiego.

Źródło: J. W. Gałkowski, *Mądrość i miłość*, w: *Człowiek w poszukiwaniu zagubionej tożsamości. „Gdzie jesteś, Adamie?"*

Kiedyś pociąg, którym jechał wykładowca KUL-u, ksiądz Karol Wojtyła, spóźnił się. Czekający na egzamin studenci – wobec braku egzaminatora – rozeszli się. Pozostał tylko jeden ksiądz, który nie znał Wojtyły – nie chodził na jego wykłady, a do egzaminu przygotowywał się z pożyczonych notatek.

Po dwóch godzinach wpadł niewiele starszy od zdającego, zziajany Wojtyła. Ksiądz-student, ucieszony, że nie będzie zdawał sam, zapytał:

– Stary, ty też na egzamin?

– Na egzamin – przytaknął ksiądz Wojtyła.

– Facet się spóźnia, wszyscy się rozeszli, a ja czekam, bo muszę zdawać dzisiaj – wyjaśnił student.

– A co, nie znasz Wojtyły? – zapytał nowo przybyły.

– Nie, to podobno nudny facet, nie chodziłem na jego wykłady, mówili, że abstrakcyjne i bardzo trudne – tłumaczył student.

Od słowa do słowa rozmowa przekształciła się w... powtórkę materiału. Wojtyła pytał, słuchał i tak jasno tłumaczył zawiłe problemy filozoficzne, że student powiedział w pewnym momencie:

– Stary, jaki ty jesteś obkuty! Proszę cię, kiedy przyjdzie ksiądz profesor, nie wchodź przede mną na egzamin, bo po tobie na pewno obleję.

Jakież było jego przerażenie, kiedy usłyszał:
– Daj indeks, jestem Wojtyła.

Ksiądz zdał na czwórkę z plusem – wspomina ówczesna studentka, Krystyna Sajdok – a KUL-owska młodzież, która powtarzała sobie tę opowieść, zapałała do profesora Wojtyły wielką sympatią.

Źródło: relacja K. Sajdok, w: *Muzeum wspomnień*; J. I. Korzeniowski, dz. cyt.

Mówi siostra Karolina Maria Kasperkiewicz, sercanka: Podczas egzaminu magisterskiego ksiądz profesor Wojtyła zaskoczył mnie trudnym pytaniem: kazał mi podać różnice i podobieństwa między normą moralną św. Tomasza a imperatywem kategorycznym Kanta. W pierwszej chwili westchnęłam ciężko, ale zaraz nasunęła mi się odpowiedź. Z zagadnienia wybrnęłam, a dopiero po egzaminie dowiedziałam się, w jaki sposób. Gdy spotkałam Księdza Profesora na korytarzu, powiedział mi: „Siostro Karolino, przepraszam, nie wiem, dlaczego przyszło mi do głowy tak trudne pytanie, spostrzegłem to za późno, ale cały czas modliłem się za Siostrę, żeby odpowiedziała dobrze, i tak się stało".

Źródło: s. K. M. Kasperkiewicz, *Nauczyciel etyki i dobroci*, w: *Człowiek w poszukiwaniu...*

Miejsce noclegowe dla profesorów dojeżdżających na KUL nie było komfortowe. Przyjezdni spali w wielopokojowym mieszkaniu, którego jedyny stały lokator, Stefan Sawicki, młody docent literatury, nocował w kuchni. Mieszkanie obejmowało pokoje: dwuosobowy, trzyosobowy i pojedynczy. Dojeżdżający profesorowie zwykle sprzeczali się, kto weźmie „jedynkę". Wojtyła nigdy o to nie prosił. Raz, kiedy nie było wolnego łóżka, spał na stole.

Źródło: G. Weigel, dz. cyt.

Zebraliśmy się rano, jak zawsze, w tzw. magazynie Zakładu Filozofii – wspomina Mira Lendzion-Zbieranowska. – Zaczęliśmy jak zwykle od dyskusji i byliśmy nią bardzo zajęci, gdy wszedł ksiądz Wojtyła. Wszyscy lubili tego skromnego księdza w lekko przyrudziałej sutannie, który pewnie włączyłby się zaraz do naszej rozmowy, gdyby nie to, że przeszkadzał mu ciężar, dźwigany z pewnym wysiłkiem. Podszedł więc najpierw do stolika i dosłownie rzucił nań to, co dźwigał.

Była to teczka. Przepysznej, acz trywialnej urody. Wyraźne jednak było całej jej „świńskie” bogactwo: pierwszorzędna skóra, mistrzowska robota, lśniące zamki. Zalśniła doskonałością materii i rzemiosła w samym centrum studenckiej biedy. Musiała kosztować krocie. Wszyscy obecni, nie przerywając rozmowy, patrzyli na nią i wzroku oderwać nie mogli. Mnie ta teczka po prostu zahipnotyzowała. Pochyliłam się nad nią, dotknęłam jej ciemnozłotej materii i powiedziałam:

– No proszę... księża, którzy ślubowali ubóstwo, mają takie „bogate” teczki, a studenci, którzy ubóstwa nie ślubowali, noszą książki w gazecie.

I wtedy zapadła cisza. Czułam na sobie spojrzenia kolegów: „odrobinę taktu”, „trochę kultury”...

Rano zdarzyło się coś, co mogło mieć pewien wpływ na moje nietaktowne wystąpienie. Widziałam, jak biegnącemu na wykład koledze wysypały się z rozerwanej gazety książki i zeszyty. Pomagając je zebrać z zabłoconego chodnika, zauważyłam nieśmiało, że przydałaby mu się teczka.

– Nie mam na obiad, a co dopiero na teczkę – odpowiedział zgnębiony chłopak.

Ksiądz Wojtyła stał w pewnej odległości od nas, z podniesionymi rękami, tak jakby już od pewnego czasu chciał mi przerwać. Miał zaczerwienioną twarz, myślałam, że z gniewu. Podszedł szybko do stolika i powiedział:

– Masz rację... masz rację... Księdzu nie wolno przyjmować drogich prezentów. Wierni ofiarowują, co im tylko do głowy przyjdzie, mogą dać nawet samochód, ale ksiądz, ponieważ ślubował ubóstwo, nie powinien go przyjąć, chyba że ma on służyć parafii. Mówiłem im, jak mi składali życzenia, ale za słabo się broniłem. Proszę, weź tę teczkę, sprzedaj, a pieniądze oddaj studentom.

Źródło: list M. Lendzion-Zbieranowskiej, opublikowany w „Gazecie Wyborczej", 4 VI 1997

Mówi profesor Jerzy Kalinowski, pełniący wówczas funkcję dziekana Wydziału Filozofii KUL: Ilekroć „Wujek" przyjeżdżał z Krakowa, przynosił mi kopertę z pieniędzmi. Ile tam za każdym razem było, dokładnie dziś nie pamiętam. Raz dwa, raz trzy tysiące, może więcej, może nawet pięć. Zawstydzony zabiegałem o to, by i świeccy profesorowie coś tam dorzucili. I zanosiłem to ojcu Mirewiczowi do jego pokoiku na piętru za kaplicą uniwersytecką – dla najbardziej potrzebujących studentów.

Źródło: J. Kalinowski, *O Karolu*,
w: *Człowiek w poszukiwaniu...*

Także na KUL-u ksiądz profesor Wojtyła ujaw-
nił swój ogromny talent duszpasterski. Dla swo-
ich studentów był nie tylko nauczycielem – był
także ojcem. Jak wspominają jego ówcześni
wychowankowie, „było w nim coś takiego, co
wykluczało błahe i banalne pogawędki. Ale
Ksiądz Profesor potrafił też włączyć się w swa-
wolne studenckie śpiewy przy ognisku, łącznie
z Hymnem pesymistów *i jego prowokacyjną*
strofką: »i laikat nie pomoże, gdy kler niszczy
dzieło Boże«”.

Opowiada Maria Braun-Gałkowska, studentka i wychowanka księdza Wojtyły: W *Liście
do młodych całego świata* Jan Paweł II nazywa
młodość okresem wzrastania. I radzi młodym,
żeby to wzrastanie dokonywało się przez kontakt
z przyrodą, z dziełami człowieka, z ludźmi i z Bogiem przez modlitwę. A kiedy myśmy byli mło-
dzi, też nam to radził, ale ponieważ był naszym
Mistrzem, więc nie mówił o tym, tylko po prostu
wspólnie z nami to robił. Było więc obcowanie
z przyrodą na spływach i wycieczkach, było obcowanie z wielkimi dziełami człowieka (jak np.
Etyka nikomachejska, którą wspólnie z nami
komentował, zupełnie nie zrażając się naszą bez-
graniczną ignorancją), i kontakt z tymi drobny-

mi, jak piosenki o starym kowboju i szumiącej nocce, śpiewane przy ognisku czy na weselu. Było to obcowanie z ludźmi przez rozważania, przez rozmowy, a przede wszystkim przez obecność, bardzo hojną, jeśli wziąć pod uwagę liczne obowiązki Profesora. Pamiętam, że kiedyś, gdy specjalnie przyjechał do nas z daleka (myśmy zmęczeni, zmarznięci po jakiejś wycieczce pili herbatę, tańczyli), spytałam: „Czy nie szkoda Wujkowi czasu?", a on się zdziwił, powiedział: „Jak to szkoda, po prostu przyjechałem do Was i jestem z Wami".

Źródło: M. Braun-Gałkowska, *Dar spotkania*, w: *Człowiek w poszukiwaniu...*; G. Weigel, dz. cyt.

Obcując z ludźmi, ksiądz Wojtyła uczył się ich słuchać i rozumieć.

Chyba w okresie października 1956 roku – wspomina Tadeusz Kudliński – przypadkowo spotkałem księdza Wojtyłę w przedziale sypialnym pociągu łódzkiego. Jechałem tam jako recenzent teatralny obejrzeć przedstawienie, a on – z wykładami w którymś seminarium duchownym. Kiedy o zimowym, ciemnym świcie, a właściwie nocą jeszcze, wysiedliśmy na dworcu łódzkim, rozglądaliśmy się niepewnie, co tu począć, bo miasto nie było jeszcze rozbudzone. Ksiądz Karol chciał odprawić Mszę świętą w najbliższym kościele, ale wytłumaczyłem mu, że o tej porze nawet kościoły są jeszcze zamknięte. Przycupnęliśmy w przepełnionej restauracji kolejowej, by tu spędzić czas do obudzenia się miasta.

Wtedy w przystępie gorzkiej szczerości i bez osłonek wylałem przed księdzem Karolem wszystkie moje żale wobec różnych postaw duchowieństwa w czasach pogardy. Karol słuchał z uwagą moich wynurzeń oraz postulatów o równouprawnienie świeckich i o demokratyzację Kościoła. Widziałem, że jest poruszony, bo i nie

szczędziłem drastycznych przykładów. Wyczu-
łem, że notuje w pamięci naszą rozmowę, nie
rozstrzygając na razie zagadnienia.

Źródło: T. Kudliński, dz. cyt.

Ksiądz Karol Wojtyła był duszpasterzem „integralnym", niesłychanie życiowym. Wiedząc, jak ogromnym problemem jest dla większości młodych małżeństw brak mieszkania, zastanawiał się, jak temu zaradzić.

Danuta Rybicka: Pamiętam, że Wujek, razem ze Staszkiem i Jackiem, bywał u księdza Ferdynanda Machaya. Wspólnie planowali wybudowanie na gruntach parafii Mariackiej w Bronowicach „Osiedla Miłości", które miałoby rozwiązać najtrudniejsze problemy mieszkaniowe młodych. Ksiądz infułat chciał dać ziemię, nasi inżynierowie plany, ale ustrój nie dopuścił do realizacji tego pomysłu.

Źródło: D. Rybicka, *Całe bogactwo*, w: *Zapis drogi*

W roku 1958 lotem błyskawicy rozeszła się plotka, że Karol Wojtyła już wkrótce zostanie biskupem.

Ksiądz Wojtyła prowadził właśnie konferencje dla mieszkanek bursy sióstr urszulanek w Lublinie. „Pewnego dnia – opowiada siostra Beata Piekut – pojawiła się cicha wiadomość, że Ksiądz Doktor ma nominację na biskupa". Jak to uczcić? – gorączkowo zastanawiały się studentki. Po namyśle postanowiły wręczyć mu kwiaty i złożyć życzenia. „Czekałyśmy wszystkie na korytarzu – mówi dalej siostra Beata. – Wreszcie otworzyły się drzwi i wyszedł Ksiądz Doktor. Zdziwiony zapytał:

– Co wy tu robicie?

Jednak zaledwie nasze delegatki otworzyły usta, by wymówić pierwsze słowa gratulacji, rozległ się jego głośny protest:

– Ja nic nie wiem! Wariata z człowieka robią".

Źródło: s. B. Piekut, *Moje wspomnienia o Ojcu Świętym Janie Pawle II*, w: *Przez Podgórze na Watykan*

Oficjalna wiadomość o nominacji biskupiej dotarła do Wojtyły latem 1958 roku, w czasie spływu kajakowego z młodzieżą. Do najbliższego miasta, Olsztynka, dotarł autostopem – jechał ciężarówką pomiędzy bańkami z mlekiem. W Warszawie prymas Wyszyński poinformował go o decyzji papieża i zapytał o plany na najbliższe dni. „Wracam na Mazury i kontynuuję obóz" – odpowiedział biskup-nominat.

Najpierw jednak pojechał do Krakowa, w którym miał odtąd służyć jako następca apostołów.

Wspomina ksiądz Jan Zieja: Latem w 1958 roku do furty domu sióstr zakonnych zapukał pod wieczór nieznany człowiek, ubrany po księżemu, więc ksiądz. „Czy mógłbym wejść do kaplicy, żeby się pomodlić?" Wprowadzono go do kaplicy i zostawiono samego. Gdy przez dłuższy czas nie wychodził, zajrzano do środka. Leżał krzyżem na posadzce. Siostra cofnęła się z lękiem pełnym szacunku. Po jakimś czasie zajrzała ponownie. Ksiądz wciąż leżał krzyżem. Pora była już późna, więc siostra podeszła do modlącego się i zapytała nieśmiało: „Może by Ksiądz był łaskaw zejść na kolację?". A nieznajomy odpowiedział: „Mam pociąg do Krakowa dopiero po północy. Pozwólcie mi tu pobyć. Mam dużo do pomówienia z Panem Bogiem. Nie przeszkadzajcie mi".

Źródło: ks. J. Zieja, *Pewien człowiek*, w: *Papież i my*

Biskup

Po święceniach biskupich (28 września 1958 roku) wychowankowie księdza Wojtyły byli przekonani, że biskupstwo oznacza kres „Wujkowego" duszpasterstwa. Mylili się.

Mówi Zofia Abrahamowicz-Stachura: Siedzimy w dużej jadalni przy stole i jesteśmy bardzo napięci i zdenerwowani. Nazywanie go Wujkiem wydaje nam się teraz zbyt familiarne, wręcz niestosowne. Ale jak zwracać się do Wujka: Wasza Eminencjo? Na pewno tak, ale to tak bardzo utrudnia kontakt...

Czekamy dość długo, napięcie rośnie. Wreszcie wchodzi. Jest w piusce, z krzyżem i łańcuchem na piersi, ale bardzo uśmiechnięty. Wstajemy wszyscy z miejsc i nagle słyszymy: „Wujek jestem!".

Źródło: Z. Abrahamowicz-Stachura, dz. cyt.

*„Wujek", teraz już biskup, nadal interesował się
losami swojej „Rodzinki" i „Środowiska", jak
z czasem zaczęto nazywać kręgi jego wycho-
wanków. Spędzał z nimi urlopy, błogosławił
małżeństwa, chrzcił dzieci, prowadził pogrze-
by rodziców. I opiekował się nimi, najlepiej jak
potrafił.*

Chorą Marysię Bucholc wyrzucono nagle
z mieszkania, które wynajmowała. Sytuacja
wyglądała dramatycznie. Pojawiła się wprawdzie
możliwość szybkiego załatwienia lokalu kwate-
runkowego, jednak wymagało to pieniędzy. Skąd
je wziąć?!

„Poszłam po ratunek na Kanoniczą do Wujka
– wspomina Maria Bucholc. – On bardzo się
przejął, ale powiedział: »Marysiu, nie mam pieniędzy. Przyjdź jutro«. Gdy przyszłam następne-
go dnia, Wujek z kieszeni sutanny wydłubywał
pieniądze, chyba gdzieś pożyczone, i zatroska-
nym głosem powiedział: »Żeby Was tylko, Marysiu, nie oszukali. Żeby Was nie oszukali«. I mnie
pobłogosławił".

Mieszkanie udało się załatwić. „A pożyczone
pieniądze zwróciłam Wujkowi trzy lata później,
gdy już rezydował jako arcybiskup na Franciszkań-
skiej. Najpierw się żachnął, że po co, ale po-

tem pieniądze wziął, mówiąc cicho, jakby do siebie: »Przydadzą się dla innych«".

Źródło: M. Bucholc, *Nade wszystko ucieczka w każdej
potrzebie*, w: *Zapis drogi*

Biskup Wojtyła wyraźnie nie chciał celebrować swojej godności.

Właśnie rozpoczynała się ceremonia inauguracji roku akademickiego na KUL-u – opowiada ksiądz Adam Boniecki – gdy wśród zgromadzonych dało się odczuć pewne poruszenie. Na salę wpadł wysoki, postawny ksiądz, który szukał czegoś nerwowo w kieszeniach. Wreszcie – cały czas pędząc przez aulę – wyciągnął z jednej kieszeni łańcuch z krzyżem, który zarzucił sobie na szyję, z drugiej piuskę, którą wcisnął na głowę, i po chwili, w pełnym biskupim splendorze, zasiadł przy stole prezydialnym. Wejście biskupa Wojtyły wzbudziło wśród studentów entuzjazm...

Źródło: *Biografia napisana przez Wielkiego Reżysera. Z ks. Adamem Bonieckim rozmawia Katarzyna Zimmerer*, w: „Viva", wyd. specjalne, nr 1/2000

Siostra Karolina Maria Kasperkiewicz: Naj-bardziej utkwiły mi w pamięci słowa księdza profesora Wojtyły, które wypowiedział jesienią 1958 roku. Był wtedy biskupem, sufraganem kra-kowskim. Gdy pewnego dnia gościliśmy w jego mieszkaniu przy ul. Kanoniczej, Ksiądz Biskup powiedział do nas: „Jeżeli kiedykolwiek zauwa-życie u mnie coś, co się Wam nie spodoba, pro-szę Was, powiedzcie mi to szczerze".

Źródło: s. K. M. Kasperkiewicz, dz. cyt.

Opowiada ksiądz Helmut Juros: Jako świeżo wyświęcony ksiądz musiałem powitać liturgicznie świeżo konsekrowanego biskupa Karola Wojtyłę w drzwiach kaplicy sióstr urszulanek. I zamiast przepisowo podać mu kropidło, żeby mógł nas pokropić wodą święconą, w zdenerwowaniu sam pokropiłem go obficie, na co Ksiądz Biskup zauważył: „Przecież nie jestem nieboszczykiem!".

Źródło: ks. H. Juros, *Zatroskany o teologię moralną*, w: *Człowiek w poszukiwaniu...*

Pewnego dnia – wspomina ksiądz Adam Dycz-
kowski, dawny student KUL-u, a obecny biskup zielonogórsko-gorzowski – przyszedłem na
śniadanie nieco później niż zwykle. W refekta-
rzu naszego domu akademickiego spotkałem tylko jednego, nieznanego mi dotychczas księdza.
Siadając obok niego, przedstawiłem się. W odpowiedzi usłyszałem: Karol Wojtyła. Wtedy to nazwisko nic mi nie mówiło, a że wyglądał bardzo
młodo, więc skwitowałem to słowami:

– Bardzo mi miło poznać.

W trakcie rozmowy zapytał mnie, z jakiej diecezji przybyłem i na jaki wydział. Z kolei ja do-
szedłem do głosu:

– A kolega na jakim wydziale?

W jego oczach dostrzegłem pewne zaskocze-
nie. Kiedy jednak zauważył, że pytam zupełnie
bona fide [w dobrej wierze], odpowiedział, że jest
na wydziale filozoficznym.

– A na którym roku?

Roześmiał się szczerze rozbawiony.

– Ja już dawno skończyłem studia.

Kilka godzin później szedłem głównym
korytarzem gmachu uniwersyteckiego z kolegą, księdzem Tadeuszem Styczniem. Przed
nami zauważyłem mojego porannego rozmów-
cę. Tadzio Styczeń na jego widok trącił mnie
w ramię:

– Popatrz, to mój profesor, biskup Wojtyła!
Musiałem mieć w tym momencie wyjątkowo głupią minę, ale Biskup uśmiechnął się do mnie życzliwie.

Źródło: relacja bp. A. Dyczkowskiego,
w: J. I. Korzeniowski, dz. cyt.

Biskupstwo oznaczało mnóstwo nowych obo-
wiązków: bierzmowania, wizytacje parafii, pra-
cę w kurii. A Wojtyła był filozofem, docentem
KUL-u, chciał pisać książki.

Jurgowski proboszcz ksiądz Józef Węgrzyn opowiadał, jak to z młodym biskupem jechał w czasie wizytacji do odległego zakątka swojej parafii. Biskup swoim zwyczajem zagłębił się zaraz w jakiejś lekturze. Wtedy proboszcz zapytał, czy może zobaczyć tę jego książkę. Wojtyła uprzejmie mu ją podał, a on najspokojniej w świecie odłożył ją na siedzenie furmanki, siadł na niej i powiedział:

– A teraz Ksiądz Biskup będzie ze mną rozmawiał. Ja nie po to czekam na wizytę tyle lat, żeby patrzeć, jak Ksiądz Biskup czyta książkę!

– I co na to Biskup? – pytano później starego proboszcza.

– Rozmawiał ze mną, co miał robić!

Źródło: ks. K. Pielatowski, dz. cyt.

W trakcie jednej z wizytacji parafialnych biskupa Wojtyłę witał mały chłopiec, który
mówił tak cicho, że Biskup poprosił go, by po-
starał się mówić nieco głośniej, bo nic nie słyszy.
Wtedy chłopak krzyknął gromkim głosem: „Jak
nie słyszysz, to się nachyl!".

Wojtyła posłuchał. A kiedy przyszedł czas na
homilię, powiedział: „Jeden z najmłodszych
przedstawicieli waszej wspólnoty parafialnej
przypomniał mi, że mam się nachylić, aby usłyszeć to, co chcecie mi powiedzieć. Otóż ja moim
posługiwaniem pasterskim właśnie pochylam się
nad Wami...".

Źródło: relacja o. Anzelma J. Szteinke, w: *Muzeum
wspomnień*

Bywało i tak, że biskup Wojtyła odwiedzał parafie *incognito*, zwłaszcza kiedy chodził po górach. Stawał wówczas w tyle kościoła i patrzył, i słuchał. Kiedyś zainteresowało go kazanie. Wyciągnął więc notes i coś zaczął w nim notować.

Góralom obecnym w kościele sytuacja wydawała się jednoznaczna: kapuś. Długo się nie zastanawiali: „Trza mu dać wycisk, coby juz nie kapował". Kiedy zatem nieznajomy wyszedł z kościoła, wciągnęli go w krzaki i zażądali pokazania notesu. I prawdopodobnie sprawiliby mu lanie, gdyby nie nadbiegł poinformowany już o wszystkim proboszcz, który poznał Wojtyłę i krzyknął: „Wszelki duch, toż to Jego Ekscelencja!".

Opowieść apokryficzna, źródło: J. I. Korzeniowski, dz. cyt.

93

Biskup Wojtyła miał coraz mniej czasu na wyjazdy do Lublina. Ale znalazł się na to sposób: teraz studenci przyjeżdżali do Krakowa na seminaria naukowe i konsultacje.

Nasze seminaria coraz częściej odbywały się w Krakowie – wspomina Jerzy Gałkowski. – Były one przerywane przez księży, urzędników kurii. Jeden z nich za każdym razem przyklękał do ucałowania pierścienia, co w widoczny sposób zawstydzało młodszego Księdza Biskupa. Bronił się nieskutecznie gestami i postawą ciała. Wreszcie poradził sobie – także ukląkł. Pomogło.

Źródło: J. W. Gałkowski, dz. cyt.

Seminarzyści biskupa Wojtyły wszczęli kiedyś – pod nieobecność Profesora – interesującą dyskusję na temat nowej książki francuskiego moralisty Marca Oraisona. Autorowi zarzucono, że głosi poglądy niezgodne z nauką Kościoła. Ktoś się oburzał: „jak on śmiał coś podobnego napisać, będąc w dodatku księdzem? Nie zdawał sobie chyba sprawy z konsekwencji głoszonych poglądów".

I wtedy do sali wszedł Mistrz – wspomina siostra Miriam Szymeczko, urszulanka. – Zaczął się nam przysłuchiwać, „kiwał głową, tu i ówdzie dodawał krótkie: »hm! tak, tak«". Dyskusja powoli wygasała – wówczas Profesor zabrał głos: „A może spojrzelibyśmy na tę sprawę od innej strony. Ten człowiek napisał to, co myślał. Może myślał nad tym tydzień, może miesiąc, może dłużej. Przekazał w tej książce swoje własne myśli. My mamy prawo nie zgadzać się z jego poglądami, możemy ich nie przyjmować, ale z pewnością powinniśmy uszanować myśl tego człowieka".

Źródło: s. M. Szymeczko, *Umiejętność słuchania i tolerancji*, w: *Człowiek w poszukiwaniu...*

A potem przyszła śmierć arcybiskupa Baziaka,
długie oczekiwanie na nowego metropolitę i no-
minacja Karola Wojtyły na arcybiskupa kra-
kowskiego (grudzień 1963). O dziwo, pomimo
nowych obowiązków, dla jego przyjaciół i tym
razem zmieniło się tak niewiele...

Zofia Abrahamowicz-Stachura: Byliśmy pierwszy raz w pałacu biskupim zaproszeni przez
Wujka – już ordynariusza diecezji. Stoimy onie-
śmieleni dostojnym miejscem. Nagle w drzwiach
sąsiedniej sali ukazał się Wujek. Wyczuł od razu
nasze zażenowanie i pyta z szerokim, prawie figlarnym uśmiechem: „Czy Wam się tu podoba?".
A my chórem: „Nieee!". I wszyscy wybuchnęliśmy
niepowstrzymanym śmiechem. Napięcie momen-
talnie zniknło i znów poczuliśmy się dobrze.

Później zapraszał nas na Franciszkańską na swoje imieniny, na śpiewanie kolęd i z naszymi dziećmi na kinderbale. Pamiętam taki jeden kinderbal,
na którym byłam z trzyletnim Łukaszem. Wujek
się spóźniał, staraliśmy się czymś dzieci zająć, ale
po pewnym czasie już nie mogliśmy utrzymać ich
w ryzach. Zaczęło się bieganie po sali i okropny
wrzask, taki jak w szkole na przerwie...

Źródło: Z. Abrahamowicz-Stachura, dz. cyt.

Danuta Rybicka: Było to po urodzeniu przez Marysię P. trzeciego dziecka – Maćka. Marysia zachorowała, a ponieważ nie miała już rodziców, powiadomiła o swojej chorobie Wujka. Ten wezwał mnie na „naradę" i z doktorem Wincentym Wcisłą pojechaliśmy nocą do Żywca, żeby jej pomóc. Z Krakowa wyjechaliśmy około dziewiętnastej, kiedy Wujek załatwił wszystkie swoje obowiązki, doktor zakończył ordynację, a ja położyłam dzieci spać. Wróciliśmy do Krakowa po północy...

Źródło: D. Rybicka, dz. cyt.

Świadkowie tamtych czasów powtarzają, że Wojtyła był biskupem nadzwyczajnym... Otwartym, słuchającym innych, przełamującym rozmaite kościelne stereotypy.

Wydarzyło się to podczas spotkania duszpasterskiego księży krakowskich – wspomina ojciec Leon Knabit, benedyktyn. – Przemawiali najpierw etatowi mówcy duchowni i świeccy, wyjaśniając mądrze, jak powinna wyglądać praca duszpasterska w dziedzinie życia małżeńskiego. Potem księża mówili szczerze o problemach, z jakimi spotykają się w swoich parafiach. Z niektórych wypowiedzi można było wysnuć wniosek, że piękne teorie nie przynoszą wyjścia z trudnych sytuacji życiowych.

I na to zareagował Ksiądz Arcybiskup, ostro protestując przeciw podważaniu sensu katolickiej nauki o rodzinie. Dostało się przy okazji jednemu z proboszczów za jego zbyt pesymistyczną postawę i wypowiedź utrzymaną w czarnym tonie. Biedak miał łzy w oczach. Mówił przecież tylko prawdę, a cóż na to poradzić, że widział ją tak czarno. Potem udało się wyjaśnić, że nie chodziło o kwestionowanie zasad, ale o trudności praktyczne...

Niebawem do rozgoryczonego proboszcza Arcybiskup wysłał list, w którym przepraszał za sprawioną przykrość, wyrażał gotowość przyjazdu do jego parafii z posługą duszpasterską, w końcu zaś stwierdzał: „Gdy Ksiądz w Kanonie mszalnym dojdzie do imienia Karol*, proszę wzbudzić akt przebaczenia". Proboszcz znów miał łzy w oczach: „Z takim biskupem jeszcze się nie spotkałem".

Źródło: o. L. Knabit, *Spotkania z Wujkiem Karolem*

* W każdej Mszy świętej wymienia się z imienia aktualnego papieża oraz biskupa miejsca, w którym ta Msza jest odprawiana. W archidiecezji krakowskiej zatem modlono się wówczas za „biskupa Karola".

Historię tę opowiedział ojcu Leonowi biskup siedlecki Wacław Skomorucha. Latem 1965 roku zmarł biskup Czajka z Częstochowy. Metropolita krakowski przyjechał na pogrzeb niemal w ostatniej chwili. Witając się ze zgromadzonym episkopatem, pominął jakoś biskupa z Siedlec. Rychło jednak się spostrzegł, zawrócił i rzekł:

– Świnia jestem, nie przywitałem Księdza Biskupa!

Źródło: o. L. Knabit, dz. cyt.

Jerzy Kluger, gimnazjalny przyjaciel Karola Wojtyły, po wojnie pozostał za granicą, we Włoszech. Kiedyś przypadkowo usłyszał nazwisko arcybiskupa krakowskiego i postanowił sprawdzić, czy to ten sam Wojtyła, z którym chodził do szkoły. A ponieważ arcybiskup Wojtyła przebywał wówczas w Rzymie, Kluger do niego zatelefonował.

Tak, to był jego stary przyjaciel; obaj bardzo pragnęli się spotkać. Kiedy? Natychmiast! Nie widzieli się przecież od dwudziestu siedmiu lat.

Na powitanie Arcybiskup rozwarł ramiona:

– Jurek, nic się nie zmieniłeś!

– Jego Ekscelencja też nie!

– Ależ nie zwracaj się do mnie w ten sposób. Mów do mnie Lolek, jak zawsze.

Źródło: G. F. Svidercoschi, dz. cyt.

W 1967 roku arcybiskup-metropolita krakowski został mianowany kardynałem.

W drodze do Rzymu arcybiskupowi Wojtyle towarzyszył wówczas ksiądz Tadeusz Pieronek. Wspomina on, że – kiedy jechali już samochodem do Watykanu – Wojtyła, ubrany w strój kardynalski przypomniał sobie nagle, iż nie ma... czerwonych skarpetek. Zatrzymali się zatem przy sklepie oferującym „wszystko dla księży", ale tu czerwonych skarpetek nie było; zostały wykupione – najprawdopodobniej przez innych kardynałów. Pieronek pytał o nie jeszcze w dwóch innych sklepach. Bezskutecznie...

Ponieważ przejeżdżali akurat obok mieszkania księdza Deskura, który miał za sąsiadów kilku kardynałów, ksiądz Pieronek zaszedł do niego z nadzieją, że uda mu się pożyczyć nieszczęsne skarpetki. Drzwi otworzyła zakonnica, która – jak się okazało – dopiero co oddała ostatnią parę jednemu z purpuratów.

Tak więc kardynał Wojtyła odbierał czerwony biret w stroju niekompletnym z punktu widzenia kościelnej etykiety.

Kiedy po uroczystości wychodzili z Kaplicy Sykstyńskiej, Wojtyła zwrócił się do księdza Pieronka: „Wiesz, nie było tak źle. Oprócz mnie jeszcze dwóch kardynałów nie miało czerwonych skarpetek!".

Źródło: bp T. Pieronek, *Dla mnie to niedościgły wzór*,
w: M. Kindziuk, *Zaczęło się od Wadowic;*
relacja bp. T. Pieronka przekazana autorowi wyboru

Nominacji kardynalskiej wnet pogratulował Karolowi Wojtyle ojciec Leon Knabit: „Przyklęknąłem na jedno kolano i pocałowałem go w rękę. Na to on zupełnie nieoczekiwanie zrobił to samo.

– Proszę Księdza Kardynała! – zawołałem zmieszany i zażenowany.

– A co, nie wolno mi? – odparł z figlarnym uśmiechem".

Źródło: o. L. Knabit, dz. cyt.

K iedyś Karol Wojtyła przyjechał z wizytacją do jednej z podhalańskich parafii. W progu kościoła przywitała go jakaś góralka: „Eminencyjo, najprzystojniejszy Księże Kardynale". A on na to: „No, coś w tym jest".

Źródło: relacja bp. T. Pieronka, w: *Jego Najzwyczajniejsza Zwyczajność. Z bp. Tadeuszem Pieronkiem i ks. Adamem Bonieckim rozmawia Jacek Żakowski*, w: „Gazeta Wyborcza", 19 V 2000

Metropolita krakowski głosił kiedyś konfe-rencję w seminarium księży redemptory-stów w Tuchowie. To, co mówił, wydało się kle-rykom zbyt uczone, ale Księdzem Kardynałem byli oczarowani. Najbardziej spodobał im się sposób, w jaki pokonał odległość paru pięter między aulą a refektarzem: po prostu siadł w pełnej kardynalskiej gali na poręczy schodów – i zjechał.

Opowieść apokryficzna, źródło: J. Turnau, *Teologia dobrego humoru*, w: „Gazeta Wyborcza", 2–3 VI 1999

Nadal, gdy tylko czas mu na to pozwalał, pływał latem kajakiem i chodził po górach, a zimą zakładał narty. A kiedy pytano, czy to uchodzi, żeby kardynał jeździł na nartach, odpowiadał: „Kardynałowi nie uchodzi ź l e jeździć na nartach".

Zagraniczni dziennikarze zapytali go kiedyś, ilu polskich kardynałów jeździ na nartach. „40 procent" – odpowiedział Wojtyła. „Ale przecież Polska ma tylko dwóch kardynałów" – dopytywał się zdumiony dziennikarz. „Oczywiście, ale kardynał Wyszyński, Prymas Polski, stanowi 60 procent".

Źródło: ks. K. Pielatowski, dz. cyt.

To było na kajakach. „Wujek" Wojtyła odprawiał Mszę świętą w namiocie, a służył mu do niej przedstawiciel drugiego już pokolenia „kajakowiczów" – Jerzyk. Chłopiec, usiłując odpędzić od ołtarza natrętną osę, wywrócił – jeszcze przed konsekracją – kielich z winem. „Szlochał okropnie – wspomina jego matka. – A Wujek czekał z dalszym odprawianiem Mszy świętej, aż się uspokoi".

Źródło: relacja M. Heydlowej, *Minęło czterdzieści lat*, w: *Zapis drogi*

Pewnego wieczoru, podczas wizyty w Krakowie kardynała Williama Bauma z Waszyngtonu, Wojtyła oznajmił swoim gościom, że nazajutrz mogą spać długo: aż do 7.30. „To jest długie spanie?!" – zdziwił się sekretarz amerykańskiego kardynała. Teraz z kolei zdumiony był gospodarz: „A któż by spał dłużej niż do 7.30?".

Źródło: G. Weigel, dz. cyt.

Prace kardynała Wojtyły – teksty homilii i prze- mówień, a także książki – przepisywały na maszynie siostry zakonne. Jedna z nich miała rozpocząć pracę z „Szefem" o dziewiątej rano. Spóźniła się nieco. Kiedy weszła do gabinetu Kardynała, on zaczął śpiewać:

„Umówiłem się z nią na dziewiątą, tak mi do niej tęskno już".

Źródło: relacja Alicji Romanowskiej,
w: *Muzeum wspomnień*

*W roku 1969 ukazała się najważniejsza praca
filozoficzna Karola Wojtyły:* Osoba i czyn, *książka znakomita, ale bardzo trudna...*

K ardynał Wojtyła lubił odwiedzać proboszcza
w Kętach, księdza prałata Józefa Świądra,
z którym doskonale się rozumieli, a nawet przy-
jaźnili – opowiada ksiądz Franciszek Kołacz. –
Kiedyś, podczas rejonowego spotkania księży
w Oświęcimiu, ksiądz Świąder jakimś żartem
„dokuczył" Księdzu Kardynałowi, który karcąc
go powiedział:
    – Ej, Prałacie, będziesz za to siedział w czyść-
cu.
    Prałat Świąder natychmiast mu odpowiedział:
    – Tak. I nawet wiem, co tam będę robił.
    – Co takiego? – pyta zaciekawiony Kardynał.
A prałat na to:
    – Będę czytał *Osobę i czyn.*
    Całe zgromadzenie kapłańskie ryknęło śmie-
chem; śmiał się równie serdecznie i Ksiądz Kardynał.
    W maju 1972 roku kardynał Wojtyła prowadził
pogrzeb księdza Świądra. Stałem obok niego, gdy

grabarze wkładali trumnę do grobowca, i usłyszałem półgłosem wypowiedziane zdanie:
— No, teraz Prałat czyta już *Osobę i czyn*.

Źródło: ks. F. Kołacz, *Ojciec Święty w naszej pamięci*,
w: *Przez Podgórze na Watykan*

Karol Wojtyła dyscyplinował księży w szczególny sposób. Kiedyś wezwał do siebie młodego księdza, który poważnie narozrabiał. Rozmawiali w cztery oczy: Kardynał nie owijał w bawełnę, mówił wprost, co myśli o postępku księdza. A potem zaprosił go do kaplicy, żeby się razem pomodlić. Po długiej modlitwie – pisze George Weigel – kardynał Wojtyła „spojrzał na młodego człowieka, którego dopiero co był skarcił, i powiedział: »Czy zechciałby Ksiądz wysłuchać mojej spowiedzi?«".

Źródło: G. Weigel. dz. cyt.

Z perspektywy lat widać to coraz wyraźniej: Wojtyła stawiał na wolność i inicjatywę. I nie obrażał się, kiedy jego podwładni mieli inne niż on zdanie na jakiś temat...

Wspomina biskup Tadeusz Pieronek: U kardynała Wojtyły – jako zwykły ksiądz – bywałem na obiedzie co tydzień, a często dzień po dniu. I przy tych obiadach można z nim było dyskutować, można się było z nim nie zgadzać. Kiedyś jeden z księży rozbił się autem. Wojtyła się zeźlił i oświadczył, że zabiera mu prawo jazdy. Ja mówię: „Księże Kardynale, od zabierania prawa jazdy są władze państwowe, a nie ordynariusz". Ustąpił. Pech chciał, że po paru miesiącach ten sam ksiądz zabił człowieka na drodze. Kardynał mi mówi: „Widzisz, miałem rację. Trzeba mu było to prawo jazdy odebrać". A ja na to: „Nie ma Ksiądz Kardynał racji. To zbieg okoliczności". Zgodził się ze mną. Inny ordynariusz wyrzuciłby mnie na łeb...

Źródło: relacja bp. T. Pieronka,
w: *Jego Najzwyczajniejsza Zwyczajność,* dz. cyt.

O księdzu Tadeuszu Pieronku powiadają, że bywał w młodości bardzo uparty. Kiedyś, jako sekretarz Synodu Krakowskiego, spierał się o coś z kardynałem Wojtyłą. Obaj mieli różne zdania na ten sam temat i żaden nie chciał ustą-. pić. Wreszcie Kardynał zdjął swój krzyż biskupi, podał go księdzu Pieronkowi i powiedział: „Masz, teraz Ty rządź".

Źródło: G. Weigel, dz. cyt.

Z interesującą inicjatywą duszpasterską przyszedł do kardynała Wojtyły redaktor Stefan Wilkanowicz, znany świecki działacz katolicki. Kardynał propozycji Wilkanowicza wysłuchał i powiedział: „Róbcie, róbcie, ale w kurii o tym nie mówcie".

Źródło: relacja S. Wilkanowicza,
przekazana autorowi wyboru

Polski Episkopat planował wydanie listu pasterskiego na temat laicyzacji. O ocenę przygotowywanego dokumentu Kardynał poprosił księdza Andrzeja Bardeckiego, asystenta kościelnego „Tygodnika Powszechnego". Bardecki list przeczytał i odesłał do kurii z krytyczną notatką, która – jak później przyznawał – mogła być nawet „troszkę obraźliwa". Przy najbliższym spotkaniu z redaktorem „Tygodnika" Wojtyła powiedział: „Masz rację. To nie jest dobre. Powinieneś wiedzieć, że to ja napisałem ten tekst; byłem wtedy zmęczony...".

Zdaniem księdza Bardeckiego, żaden inny polski biskup nie pozwoliłby podwładnemu na taką krytykę.

Źródło: *„Pan jest i wzywa cię". Z ks. Andrzejem Bardeckim rozmawia Artur Sporniak*, w: „Tygodnik Powszechny" nr 43/1998; G. Weigel, dz. cyt.

Metropolita krakowski prowadził kilka procesów beatyfikacyjnych, m.in. sprawę beatyfikacji siostry Faustyny Kowalskiej. Opinię teologiczną na temat jej *Dzienniczka* miał wydać wybitny teolog ksiądz Ignacy Różycki. Zażądał on od sióstr udostępnienia do pracy w domu oryginalnych zapisków Siostry Faustyny. „Zapytałam Księdza Kardynała, jak mam postąpić – mówi siostra Beata Piekut. – Stanowczo wtedy oświadczył: »Proszę powiedzieć księdzu profesorowi, że ja siostrze zabroniłem wynieść oryginał zapisków. Jeśli ksiądz profesor chce coś sprawdzić, to niech się pofatyguje do Łagiewnik i sprawdzi sobie u was na miejscu... «. I jakby dla złagodzenia swego tonu dodał żartobliwie: »Będzie Siostra jechała tramwajem, tramwaj się wykolei i *Dzienniczek* zginie. I Siostra zginie, ale to nic, bo Siostra pójdzie do nieba. A *Dzienniczek* nie może zginąć!«”.

Źródło: s. B. Piekut, dz. cyt.;
relacja s. Piekut przekazana autorowi wyboru

Stary góral opowiadał: „Kardynał Karol Wojtyła chodzieł w góry. Nikt nawet nie wiedzioł, fto on jest, bo sie nie przedstawioł, no ale zawse seł rano na Rusinowom Polane do kaplicy i kie był na Rusinowej, to zachodzieł hań zawse do babki Kobylarcyk".

Aniela Kobylarczyk była ostatnią gaździną Rusinowej Polany. Każdy ją znał i każdy mógł się u niej napić herbaty. Kiedyś kardynał Wojtyła też ją o herbatę poprosił, ale ona go nie poznała. Powiedziała tylko: „Ej, zeście się najedli, aj najedli, kozdy by herbatke fcioł pić, ale wody to mi ni mo fto przinieść". Na te słowa poderwał się Kardynał, wziął dwa wiadra i poszedł do źródła po wodę.

Po 16 października 1978 roku ktoś zagadnął Anielę Kobylarczyk: „No babko, widzicie. Tego, coście posłała po wode, obrali na papieża, a wyście mu telo dobrze zrobieła, boście mu herbaty uwarzieła!".

Na to babka Aniela Kobylarczyk rzekła ze smutkiem: „Hej, kieby jo była wiedziała, to jo by mu tej herbaty nie warzieła. Miałabyk se teroz dwa wiaderecka wody świenconej".

Źródło: ks. Kazimierz Pielatowski, dz. cyt.

Papież

16 października 1978 roku Karol Wojtyła zo-
stał wybrany papieżem. 264. biskup Rzymu
przyjął imię: Jan Paweł II. Tego samego dnia
polska himalaistka Wanda Rutkiewicz zdobyła
najwyższy szczyt świata – Mount Everest.

Wanda Rutkiewicz osobiście spotkała Papieża latem 1979 roku, podczas jego pierwszej pielgrzymki do Polski. Ofiarowała mu wtedy
kamień z najwyższej góry świata, a on powiedział:
„No proszę, jednego dnia Pani i ja zaszliśmy tak
wysoko".

Źródło: ks. K. Pielatowski, dz. cyt.

Biskup Mieczysław Cisło, wówczas mieszkaniec Kolegium Polskiego w Rzymie, opowiada, że „kardynał Wojtyła pojechał na konklawe w przetartych butach i tak musiał tą sutanną wywijać, by je zasłonić, kiedy kardynałowie składali mu po wyborze *homagium*".

Źródło: J. Kurski, *Wujek śpiewa i rymuje*,
w: „Gazeta Wyborcza", 24–26 XII 2001

Gdy Karol Wojtyła został Papieżem, do Krakowa pojechał tir, żeby zabrać do Watykanu jego rzeczy. Na miejscu – wspomina ksiądz Mieczysław Maliński – okazało się, że do wielkiego auta zapakowano zaledwie parę książek, buty...

Źródło: A Domosławski, *Czas ucieka, wieczność czeka*, w: „Gazeta Telewizyjna", 17–23 III 2000

Jan Paweł II od samego początku swego pontyfikatu zaskakiwał wszystkich, łamiąc watykańskie obyczaje. Na zakończenie konklawe, kiedy przygotowano już dla niego papieski tron, na którym powinien był usiąść, by odebrać hołd od członków kolegium kardynalskiego, oświadczył: „Nie, ja przyjmę moich braci na stojąco". Nazajutrz odwiedził w szpitalu chorego przyjaciela, biskupa Andrzeja Deskura, kilka dni wcześniej dotkniętego paraliżem – było to wydarzenie bez precedensu w historii papiestwa.

Zdarzyło mu się kiedyś – wspomina ksiądz Adam Boniecki – „podnieść chustkę, która upadła komuś poza barierkę oddzielającą Papieża od wiernych. Ojciec Święty schylił się po tę chustkę i oddał ją właścicielce w najzwyklejszym ludzkim odruchu grzeczności".

Źródła: T. Szulc, *Papież Jan Paweł II. Biografia*; *Biografia napisana przez Wielkiego Reżysera*, dz. cyt.

Papież z Polski podbił serca Włochów natychmiast po wyborze, kiedy stanął przed mieszkańcami Rzymu i wyznał: „Nie wiem, czy będę umiał dobrze wysłowić się w waszym... naszym języku włoskim. Gdybym się pomylił, poprawcie mnie".

Wtedy ludzie zgromadzeni na placu św. Piotra „wybuchnęli śmiechem i zaczęli klaskać – komentuje ksiądz Boniecki – ponieważ Ojciec Święty właśnie w tym zdaniu zrobił błąd, wtrącając bezwiednie słowo francuskie".

Źródło: *Biografia napisana przez Wielkiego Reżysera*, dz. cyt.

Uroczystość inauguracji pontyfikatu Jana Pawła II odbyła się 22 października 1978 roku. Papież zakończył ją w sposób mało liturgiczny. Powiedział po prostu: „Kończymy. Czas na obiad".

W krótce po inauguracji pontyfikatu na papieskie pokoje udało się wedrzeć grupie przyjaciół z Krakowa. Przyjaźń przyjaźnią, a Papież papieżem, więc przyklękli.

– Nie róbcie szopek – powiedział Gospodarz*.

Źródło: J. Turnau, dz. cyt.

* Jan Turnau zrobił z tej opowieści felieton do „Więzi", lecz ówczesny redaktor naczelny miesięcznika, Tadeusz Mazowiecki, tekstu nie przyjął:

– Znam księży – powiedział. – Pewnie, że Papież się nie obrazi, ale zgorszysz śmiertelnie prałatów.

Turnau posłał więc tekst do „Gościa Niedzielnego" – wydrukowali. A kiedy podziękował im „za odwagę", okazało się, że Mazowiecki miał rację: sąsiednia kapituła wystosowała pisemny protest...

23 października uczestnicy audiencji zbiorowej dla Polaków byli świadkami papieskiego „pożegnania z Ojczyzną". Wcześniej Jan Paweł II przyjął indywidualnie kilkanaście osób, w tym – w pierwszej kolejności! – Jerzego Klugera, przyjaciela z gimnazjum, polskiego Żyda od lat mieszkającego na Zachodzie.

Kluger, nie będący chrześcijaninem, odruchowo zgiął kolana i pochylił głowę, tak jakby chciał ucałować pierścień Piotrowy, ale Jan Paweł II mu na to nie pozwolił.

– Nie wolno Ci nigdy klękać przede mną – powiedział. – Stój wyprostowany, jak zawsze.

Źródło: D. O'Brien, dz. cyt.

*Nowy papież nie uległ presji etykiety watykań-
skiej. Wręcz przeciwnie: przejął inicjatywę
w swoje ręce. Watykan zapełnił się ludźmi: po-
ranna Msza święta, codzienne posiłki, spacery
– to wszystko stało się okazją do spotkań...*

Liliana i Bogusław Sonikowie spędzali kiedyś
wakacje w Castel Gandolfo. Gdy wyszli z porannej Mszy świętej odprawionej przez Jana Pawła II, ich czteroletni syn Jacek zapytał Papieża:

– Zaprosisz nas na śniadanie?

Papież przytaknął. Ale matka uznała, że Jacek
zaproszenie wymusił i cała rodzina zamiast iść
z Ojcem Świętym na śniadanie, wróciła do hotelu.

Po kilku dniach nadeszło oficjalne zaproszenie na obiad. Kiedy usiedli przy stole, Jan Paweł II
zwrócił się do chłopca:

– Czemu nie przyszedłeś wtedy na śniadanie?

– Bo mama nie pozwoliła – odparł chłopak.

– No, no – pokręcił głową Ojciec Święty. – Papieżowi się nie odmawia.

W czasie obiadu malec trochę rozrabiał: podszedł z tyłu do krzesła, chwycił je za poręcz i zaczął się na nie wspinać. A na krześle siedział
Papież.

Tego dla mamy było już za wiele. Zamierzała synka uspokoić i wtedy usłyszała:

– Zostawić, zostawić. Tu cały rok jest tak smutno.

Źródło: B. Sonik, *Na to Papież mi pozwolił*, w: „Viva", wyd. specjalne, nr 1/1998; relacja L. Sonik przekazana autorowi wyboru

Bezpośredni sposób bycia Jana Pawła II nieraz bywał źródłem prawdziwej „komedii pomyłek". No bo kto to słyszał, żeby Papież osobiście odbierał telefony?!

P ewnego razu Jan Paweł II zadzwonił do Szwajcarii, gdzie kurował się jego ciężko chory przyjaciel biskup Andrzej Deskur. Telefonistka, zanim połączyła go z pokojem Deskura, chciała wiedzieć, kto mówi.

– Papież – odpowiedział jej zgodnie z prawdą.

Po drugiej stronie zapadła cisza. Po chwili słuchawka z trzaskiem opadła na widełki. Ale wcześniej Jan Paweł zdołał usłyszeć:

– Z pana taki papież, jak ze mnie chińska cesarzowa!

Opowieść apokryficzna, źródło:
w: J. I. Korzeniowski, dz. cyt.

132

Nowe obowiązki wymagały sił. Nagła śmierć Jana Pawła I po zaledwie 33 dniach pontyfikatu była wielce wymowna...

Plan budowy w Castel Gandolfo basenu kąpielowego wywołał w mediach krytykę Jana Pawła II – zaczęto oskarżać Papieża o rozrzutność i... egoizm. A on odpowiadał: „Papież potrzebuje ruchu. A nowe konklawe będzie kosztować dużo więcej".

Źródło: G. Weigel, dz. cyt.

Jan Paweł II to pierwszy papież, który – już po wyborze – jeździł na nartach. Przypiął je w połowie lat 80. Ale na początku pontyfikatu nic tego nie zapowiadało...

Podczas pierwszej konferencji prasowej zadano mu wprawdzie pytanie, czy będzie jeździł na nartach. Powiedział wówczas: „Na to mi chyba nie pozwolą".

Minęło kilka lat. Papież przyjmował akurat jednego z narciarskich mistrzów świata, który ofiarował mu... narty. „I nie wódź nas na pokuszenie – usłyszał wtedy ów sportowiec. – Bo jeszcze zjadę w dolinę i co będzie? Nowe konklawe".

Źródło: ks. K. Pielatowski, dz. cyt.

W czasie jednej z pielgrzymek do Afryki było tak gorąco, że osoby towarzyszące Ojcu Świętemu „goniły resztkami sił", a dziennikarze czuli się marnie. „Tylko Papież nie okazuje żadnych objawów zmęczenia – pisał korespondent DPA. – Kiedy wysiadł z samolotu w Kisangani, w sercu zielonego piekła dżungli w północnym Zairze, wyglądał tak samo świeżo jak wówczas, gdy wyjeżdżał z Rzymu".

W pewnym momencie – opowiada George Weigel – kiedy przechodził obok niemieckiej ekipy telewizyjnej, pomachał im, mówiąc: „Co z wami, chłopcy, żyjecie jeszcze?".

Źródło: G. Weigel, dz. cyt.

*Dla niektórych wizyta w Watykanie jest jak „ła-
dowanie akumulatorów". Papież nabiera sił,
spotykając się z ludźmi. Najchętniej z tymi, którzy nic nie znaczą w „wielkim świecie". Na
przykład z chorymi.*

W 1983 roku Jan Paweł II miał konsekrować
kościół w Nowej Hucie-Mistrzejowicach.
Organizatorzy z Watykanu zaplanowali, że Papież
dokona tego aktu w pustej świątyni. I wtedy –
wspomina ojciec Leon – ksiądz Mikołaj Kucz-
kowski, mistrzejowicki proboszcz, wpadł na pomysł: „Dlaczego kościół ma być pusty przy tak
pięknej ceremonii? – Zaprośmy niepełnospraw-
nych. Ojciec Święty przejdzie przez środek, po-
błogosławi. Chorzy będą szczęśliwi".

Jednak na to nie zgodziła się strona watykań-
ska. Prałat odpowiedzialny za program wizyty był
szczery: „Jak go znam – powiedział – Papież wcale nie przejdzie przez środek kościoła. Z każdym
będzie chciał się przywitać. A kiedy on ma cho-
rych w zasięgu ręki, czas dla niego nie istnieje".

Źródło: o. L. Knabit, dz. cyt.

Roczniki „L'Osservatore Romano" pełne są zestawień dokumentujących dobroczynność Papieża, przekazującego dary pieniężne ofiarom wojen i klęsk żywiołowych. Są też dary, o których nie wie prawie nikt.

Dorosły syn Raya Flynna, ambasadora USA przy Stolicy Apostolskiej, miał kiedyś poważne problemy ze zdrowiem. Rodzice zdecydowali, że odeślą go do szpitala w Stanach. Tuż przed jego wyjazdem na leczenie, po jakiejś uroczystości w Bazylice św. Piotra, do ambasadora USA podszedł Papież i zapytał o zdrowie Raya juniora.

– Lekarze... szpitale... – mówił Ojciec Święty. – To kosztuje. Bardzo drogo?

– Tak, Wasza Świątobliwość – odparł Flynn. – Ale damy sobie radę.

I wtedy usłyszał słowa:

– A może papież mógłby pomóc? Papież ma jakąś niewielką kwotę. Nie są to pieniądze Kościoła, ale jego własne, co prawda niewielkie. Może więc mógłby pomóc?

„Oniemiałem – wspomina ambasador. – Wiedział, że nie jesteśmy bogaci, bo choć miałem niezłą pensję, musiałem płacić za dom w Bostonie, naukę sześciorga dzieci, a teraz jeszcze za leczenie Raya. Zastanawiałem się, czy wiedział już, że moja żona podjęła dorywczą pracę w Rzymie.

– Nie, nie – protestowałem. – Poradzimy sobie. Ale dziękuję, bardzo dziękuję, Ojcze Święty.

Pochyliłem się i pocałowałem go w pierścień. Jednakże Papież nie miał zamiaru tak tego zostawić.

– Jeśli będzie Pan czegoś potrzebował – powiedział – proszę wspomnieć o tym kardynałowi Lawowi... I niech Pan powie synowi, że się za niego modlę".

Źródło: R. Flynn, *Jan Paweł II. Portret prywatny człowieka i papieża*

Podczas obchodów rocznic wyboru Jana Pawła II czytana jest najczęściej Ewangelia św. Jana: „Gdy byłeś młodszy, opasywałeś się sam i chodziłeś, gdzie chciałeś. Ale gdy się zestarzejesz, wyciągniesz ręce swoje, a inny cię opasze i poprowadzi, dokąd nie chcesz" (J 21, 18).

Pisze o Papieżu Adolf Rudnicki: Ekipie „Tygodnika Powszechnego", która pojechała do Rzymu święcić jubileusz pisma w obecności swego byłego współpracownika, powiedział:

– Dawniej myślałem, że jesteście najgorsi. Nigdy nie dawaliście mi grosza za to, co pisałem. Od kilku lat widzę, że są gorsi. Drukuję i drukuję w „L'Osservatore Romano"... Oni tutaj w ogóle nie słyszeli, co to honorarium... Czasami miałbym ochotę wypuścić się na Rzym, ale nie mam grosza w kieszeni... Kardynałowie to także dziady... Oni także mają płótno w kieszeni...

W Paryżu na spotkaniu z siostrami zakonnymi zwlekał z wejściem na podium. Czarni w tyle szumieli, dawali znaki, wykonywali gwałtowne ruchy. Nie zwracał na to uwagi. Rzekł do sióstr:

– Same teraz widzicie, jakie mam życie... Tak jest ciągle. Ciągle mnie poganiają, łajają, krzyczą: „Znów się nie zmieściłeś w czasie! Znów się spóźnimy!"...

Powiedzcie mi, jak żyć w takim nieustannym pośpiechu, w takiej nieustannej niewoli?

Źródło: A. Rudnicki, *Szeregowy kolega*,
w: „Przekrój" nr 2262 z 16 X 1988 r.

Pomimo samotności, wielu obowiązków i brzemienia odpowiedzialności, Papieża nie opuszcza poczucie humoru.

Jeszcze jako kardynał – na widok (bardzo szczupłego) ojca Leona z Tyńca – mówił: oto definicja mnicha, „kupa kości owiniętych w czarny materiał". Już w Watykanie odwiedził go ksiądz Mieczysław Maliński. Podano obiad: gość dostał kurczaka, a gospodarz rybę. „Dlaczego ja jem kurczaka?" – zapytał Maliński. – „Bo kurczak jest tańszy".

Źródła: o. Leon Knabit, dz. cyt.; *Jan Paweł II, kolekcja*, wyd. specjalne, nr 1/2001

Z inicjatywy Ojca Świętego w Castel Gandolfo odbywały się spotkania wybitnych intelektualistów. Uczestniczył w nich także polski filozof profesor Leszek Kołakowski. Powiadają, że usiłowano kiedyś Papieżowi „przypomnieć", iż Kołakowski był w młodości marksistą i walczył z Kościołem. Jan Paweł odpowiedział na to: „Z chęcią wtrącę go do lochów Watykanu, żebym miał z kim prowadzić wieczorne dysputy".

Źródło: A. Sporniak, *Czy Kołakowski jest do zbawienia koniecznie potrzebny?*, w: *Od Brzozowskiego do Kołakowskiego*

W naukowej debacie w Castel Gandolfo wziął
kiedyś udział ksiądz Johannes Baptist
Metz, przedstawiciel kontrowersyjnej – z punktu widzenia Watykanu – „teologii politycznej".
Jak wspomina jeden z organizatorów tego spotkania, ksiądz Józef Tischner, „kiedy padła propozycja wspólnego zdjęcia, Papież stanął pośrodku sali, a uczestnicy ustawiali się obok, ale skromnie, w pewnej odległości od Jana Pawła II. Papież
stał sam. W pewnej chwili rozejrzał się wokoło
i zobaczył Metza. Wyciągając zapraszająco rękę,
powiedział: „Bardzo proszę, bliżej papieża, bliżej...".

Źródło: ks. J. Tischner, *Proszę bliżej papieża*, w: „Viva",
wyd. specjalne, nr 1/1998

Karol Wojtyła – Jan Paweł II znany jest z cię-
tego języka. Jeszcze w Krakowie – gdy się
dowiedział, że ksiądz Boniecki złamał nogę
na nartach, stwierdził: "Tak to już jest, jak ktoś
najpierw jeździ, a potem dopiero się uczy". Jed-
nakże – powiada ksiądz Adam Boniecki –
od kiedy Wojtyła "został Ojcem Świętym, bar-
dzo stara się panować nad złośliwością". Na-
dal jednak krążą w świecie jego dowcipne –
i lekko złośliwe – powiedzonka... Na przykład
o jednym z biskupów, który zagadnął go:
"No cóż, starzejemy się, Ojcze Święty...". Pa-
pież spojrzał na niego i odparł: "Tak, ale ja
od nóg".

Kardynał Karol Wojtyła wielokrotnie pisał pro-
testy do wojewody nowosądeckiego Bafii,
który tępił ruch oazowy, nasyłając na wakacyjne
obozy rekolekcyjne milicję. A kiedy, w 1979 roku
w Nowym Targu, Bafia został przedstawiony
Ojcu Świętemu, ten powiedział: „My się przecież znamy... z korespondencji".

Podobnie zareagował na widok Józefa Klasy,
byłego I sekretarza partii komunistycznej w Krakowie, który nie miał nigdy czasu, żeby spotkać
się z kardynałem Wojtyłą. W 1979 roku Klasa był
ambasadorem PRL w Meksyku i w tym charak-

terze został przedstawiony Ojcu Świętemu. „Nigdy nie wątpiłem, że jednak znajdzie Pan chwilę czasu dla mnie" – ucieszył się Papież.

Źródła: *Biografia napisana przez Wielkiego Reżysera*, dz. cyt.; wypowiedź W. Bonowicza w: *Od początku do końca. Z o. Leonem Knabitem OSB rozmawiają Wojciech Bonowicz i Artur Sporniak*; wypowiedź Andrzeja Rosiewicza, w: ks. K. Pielatowski, dz. cyt.

Czy Twoja diecezja powiększa się? – zapytał Jan Paweł II jednego z polskich biskupów.

– Tak – odpowiedział hierarcha.

– Podobnie jak biskup – stwierdził Papież, patrząc na sylwetkę swojego rozmówcy.

Źródło: G. Weigel, dz. cyt.

Na temat tego Papieża, który miał wprowadzić Kościół w trzecie tysiąclecie, powtarzano wiele przepowiedni. Niektóre brzmiały katastroficznie – mówiły o nowej wojnie i prześladowaniu Kościoła. Tak jak przekazywana z ust do ust fałszywa wersja trzeciej tajemnicy fatimskiej...

Nawiązując do jednej z przepowiedni, zapytano kiedyś Jana Pawła II, czy jest gotów „uciekać z Watykanu po trupach kardynałów".

– Tak, jestem gotów – odparł Papież. – Ale nie wiem, czy przygotowani są na to księża kardynałowie.

Opowieść apokryficzna

13 maja 1981 roku turecki terrorysta Mehmet Ali Agca dokonał zamachu na życie Jana Pawła II.

Nazajutrz po zamachu pierwsze słowa ciężko rannego Papieża brzmiały: „Czy odmówiliśmy kompletę?"*.

Trzy dni później – za pośrednictwem radia – Jan Paweł II odmówił z wiernymi modlitwę „Anioł Pański". Powiedział wówczas: „Modlę się za brata, który mnie zranił, a któremu szczerze przebaczyłem".

Źródło: relacja ks. S. Dziwisza, w: A. Frossard, *„Nie lękajcie się". Rozmowy z Janem Pawłem II*

* Pytanie to zamieszczamy na wyraźne życzenie André Frossarda, który twierdził, że „nadaje się ono do umieszczenia wśród *fioretti* [„kwiatków"] tego pontyfikatu" (A. Frossard, *Portret Jana Pawła II*). Kompleta to modlitwa brewiarzowa odmawiana przed nocnym spoczynkiem.

Wkrótce po zamachu zaczęto wozić Jana Pawła II w oszklonym samochodzie, tzw. papamobilu. To go ponoć irytuje. Kiedyś w rozmowie z Ojcem Świętym próbowano bronić tej „szklanej klatki":

– Ona zmniejsza ryzyko. Nic na to nie poradzimy, że się lękamy o Waszą Świątobliwość.

– Ja też – odpowiedział Papież – niepokoję się o swoją świątobliwość.

Źródło: A. Frossard, *Portret Jana Pawła II*

Jego pontyfikat nazywany jest często „przeło-mowym". Nic dziwnego, jeśli się pamięta o piel-grzymkach Jana Pawła II, o rachunku sumie-nia Kościoła, obchodach Wielkiego Jubileuszu, spotkaniu modlitewnym przedstawicieli różnych religii świata w intencji pokoju, wizytach w me-czecie i w synagodze...

Ojciec Jan Góra, dominikanin, opowiadał kie-dyś Papieżowi o tym, jak wybitny polski pi-sarz żydowskiego pochodzenia Roman Brandsta-etter przeżywał obecność Biskupa Rzymu w sy-nagodze. Słysząc to, Jan Paweł II uśmiechnął się i powiedział: „A Piotr nie chodził do synagogi? Chodził, chodził".

Źródło: relacja o. J. Góry przekazana autorowi wyboru

150

Rozmach tego pontyfikatu i styl bycia Papieża wywołują, zdaje się, lekki niepokój niektórych pracowników Kurii Rzymskiej...

W kręgach kurialnych powtarza się ponoć taką oto anegdotę:
– Czym się różni Papież od Ducha Świętego?
– ???
– Duch Święty jest wszędzie...
– A Papież?
– Już tam był.

Dawniej mówiono też, że „w dwóch sprawach nigdy nie wiadomo, jak zachowa się Papież: o której godzinie usiądzie do stołu i ile osób zaprosi na obiad".

Opowieści apokryficzne, źródło: ks. K. Pielatowski, dz. cyt.

Podobno niektórzy włoscy kurialiści nie przepadają za polskim otoczeniem Jana Pawła II, tą – jak mówią – „polską mafią".

Tę anegdotę André Frossard usłyszał od samego Jana Pawła II.

„Papież modli się i pyta Boga:

– Panie, czy Polska odzyska pewnego dnia wolność?

– Tak – odpowiada Bóg – lecz nie za twojego życia.

Wobec tego Papież pyta dalej:

– Panie, a czy po mnie będzie jeszcze polski papież?

– Nie za mojego życia – odpowiada Pan Bóg".

Źródło: A. Frossard, dz. cyt.

Papież ma wobec siebie ogromny dystans...

Biskup Tadeusz Pieronek: Kiedy był kardynałem, nie lubił, żeby go całowano w pierścień,
chociaż wtedy to było jeszcze w modzie. Jako
papież się poddał, ale też niechętnie.

Ksiądz Adam Boniecki: Przekazywałem mu
prośbę Związku Literatów, by przyjął honorowe
członkostwo. Papież na to z rozbawioną miną:
„Jaki ze mnie literat!...". Bawiła go ta rozmowa.
Wreszcie dał się namówić, bo nie chciał robić lu-
dziom przykrości.

Widziałem, że był zirytowany, kiedy – bodaj
w Peru – musiał odsłonić swój pomnik. Nie ukry-
wał niesmaku. Zrobił to tak, że idąc z kościoła
do papamobilu, na chwilę przystanął, pociągnął
za sznurek i natychmiast ruszył dalej. Teraz chyba już się z tym pogodził. Uznał to za zło ko-
nieczne.

Źródło: *Jego Najzwyczajniejsza Zwyczajność*, dz. cyt.

Podczas jednego z koncertów Jan Paweł II, mówiąc o pięknie muzyki, przypomniał słowa świętego Augustyna: kto śpiewa, podwójnie się modli.

Po koncercie Papież zamienił kilka słów z ambasadorem USA przy Stolicy Apostolskiej:

– Tak, ksiądz musi sporo śpiewać w kościele, nawet jeśli nie najlepiej mu to idzie.

– A czy Ojciec Święty dobrze śpiewał? – zapytał Ray Flynn.

– Kiedy ja śpiewałem, modliłem się pojedynczo – odparł Papież.

Źródło: R. Flynn, dz. cyt.

Jan Paweł II wzbudza powszechny entuzjazm.
Ale czasem chyba trochę go to męczy...

Podczas rzymskiego spotkania z rozentuzjaz-mowanymi zakonnicami Jan Paweł II powie-dział: „Myślałem, że zakonnice to naród spokoj-ny, a tymczasem robią tyle zgiełku. Rozerwałyby papieża przy pierwszym spotkaniu".

Źródła: ks. K. Pielatowski, dz. cyt.

Podczas wizyty w Polsce w roku 1999 ciągle rozbijał nieznośną dlań atmosferę kultu...

Pielgrzymi zgromadzeni w Elblągu przerywali Ojcu Świętemu często i głośno. Jan Paweł to skomentował: „Ktoś się raz pomylił i zamiast wołać: »niech żyje papież«, zaczął wołać: »niech żyje łupież«. Ja was do tego nie zachęcam".

Kiedy krzyczano doń: „Witaj w Licheniu", stwierdził: „Myślałem, że mówicie: »Witaj, ty leniu«".

Z powodu choroby Papież nie mógł pojechać do Gliwic. Odwiedził jednak to miasto ostatniego dnia swojej wizyty w Polsce. „Ja bym z takim papieżem nie wytrzymał – powiedział. – Ma przyjechać, nie przyjeżdżo, potem znowu ni ma przyjechać – przyjeżdżo".

Źródło: J. Poniewierski, *Pielgrzymka 1999. Dzień po dniu*

Od pewnego czasu stanem zdrowia Jana Pawła II zaczęły bardzo interesować się media. Powtarzano każdą plotkę na ten temat. A sam Papież, pytany o swoje zdrowie, odpowiadał: „Nie wiem, nie zdążyłem jeszcze przeczytać porannej prasy".

Źródło: relacja ks. Mieczysława Malińskiego przekazana autorowi wyboru

Kiedyś pewien włoski dziennikarz opublikował (pod pseudonimem) w jednym z tygo-
dników zmyśloną przez siebie informację o chorobie Papieża, a następnie – przywołując ów tekst
jako źródło – napisał (tym razem pod własnym
nazwiskiem) artykuł do wysokonakładowej prasy codziennej. Dziennikarz ten towarzyszył potem Ojcu Świętemu w jednej z zagranicznych
pielgrzymek. Kiedy Papież zobaczył go w samo-
locie, powiedział: „A, to ten pan, który inaczej
nazywa się w niedziele, a inaczej w dni powsze-
dnie".

Źródło: *Biografia napisana przez Wielkiego Reżysera*,
dz. cyt.

W połowie lat 90. Jan Paweł II zaczął mieć coraz większe problemy z chodzeniem: przejście dłuższego odcinka zajmowało mu coraz więcej czasu. W 1994 roku, podczas obrad Synodu Biskupów, Papież z trudem podszedł do stołu prezydialnego i zamruczał pod nosem: *„Eppur si muove"** [„A jednak się porusza..."].

Źródło: G. Weigel, dz. cyt.

* Zdanie to wypowiedział Galileusz (mając na myśli Ziemię) po wymuszonym przez Inkwizycję uroczystym wyrzeczeniu się swoich poglądów astronomicznych.

Spoglądając na ten pontyfikat, można się zastanawiać, gdzie tkwi źródło ogromnej siły Jana Pawła II...

Pisze André Frossard: „Klęczący Papież wydał mi się ogromny. Pelerynka na jego szerokich barach nasuwała myśl o wiecznych śniegach i nie mogłem pojąć, w jaki sposób wielką górę udało się zmieścić w tak szczupłej przestrzeni... Miałem przed sobą masyw modlitwy".

Źródło: A. Frossard, *„Nie lękajcie się!"*

W Sandomierzu, w 1999 roku – wspominał polski koordynator pielgrzymki, biskup Jan Chrapek – „w drodze na liturgię otrzymałem informację, że przy ołtarzu panuje niesamowity upał: blisko 40 stopni Celsjusza. Przekazano mi również sugestię, aby Jan Paweł II nie odprawiał Mszy świętej, a tylko wygłosił homilię na siedząco. I ja tę sugestię powtórzyłem Papieżowi. A wtedy on zapytał: »Czy Ty jesteś Ojcem Świętym, czy ja? Ja przyjechałem po to, by służyć«".

Źródło: *Panie, Ojciec Święty przyjechał!*, z bp. Janem Chrapkiem rozmawia Paweł Zuchniewicz, w: *Spotkaliśmy Papieża. Wzruszające wspomnienia Polaków o Ojcu Świętym*

To było w Brazylii. Jan Paweł II odwiedzał właśnie wioskę trędowatych. Wstrząśnięty tym, co tam zobaczył, powiedział: „Czasem chciałbym zapłakać jak dziecko, ale na co komu płaczący papież? Ja muszę natchnąć ich siłą".

Źródło: J. I. Korzeniowski, dz. cyt.

Bibliografia

Biografia napisana przez Wielkiego Reżysera. Z ks. Adamem Bonieckim rozmawia Katarzyna Zimmerer, w: „Viva", wyd. specjalne, nr 1/2000

Biuletyn Prasowy KAI, nr 12/1998

ks. Jarosław Cielecki, *Wikary z Niegowici. Ks. Karol Wojtyła*, Częstochowa 1996

Człowiek w poszukiwaniu zagubionej tożsamości. „Gdzie jesteś, Adamie?", Lublin 1987. Wykorzystano:
– Maria Braun-Gałkowska, *Dar spotkania*
– Jerzy W. Gałkowski, *Mądrość i miłość*
– ks. Helmut Juros SDS, *Zatroskany o teologię moralną*
– Jerzy Kalinowski, *O Karolu*
– s. Karolina Maria Kasperkiewicz Sł. NSJ, *Nauczyciel etyki i dobroci*
– s. Miriam Szymeczko OSU, *Umiejętność słuchania i tolerancji*

Artur Domosławski, *Czas ucieka, wieczność czeka*, w: „Gazeta Telewizyjna" (dodatek „Gazety Wyborczej"), 17–23 III 2000

Ray Flynn, *Jan Paweł II. Portret prywatny człowieka i papieża*, tłum. K. Obłucki, Warszawa 2002

André Frossard, *„Nie lękajcie się!"*. *Rozmowy z Janem Pawłem II*, tłum. A. Turowiczowa, Rzym 1982

tenże, *Portret Jana Pawła II*, tłum. M. Tarnowska, Kraków 1990

Jan Paweł II, *Dar i Tajemnica*, Kraków 1996

Jan Paweł II. Kolekcja, wyd. specjalne, nr 1/2001

Kalendarium życia Karola Wojtyły, oprac. ks. Adam Boniecki MIC, Kraków 2000 (2 wyd.)

o. Leon Knabit OSB, *Spotkania z Wujkiem Karolem*, Kraków 1999

Jan Izydor Korzeniowski, *Anegdoty i ciekawostki z życia Jana Pawła II*, Wrocław 1998

Jego Najzwyczajniejsza Zwyczajność. Z bp. Tadeuszem Pieronkiem i ks. Adamem Bonieckim rozmawia Jacek Żakowski, w: „Gazeta Wyborcza", 19 V 2000

Ksiądz, *List do redakcji w sprawie campingu*, w: „Homo Dei" nr 3 (81), maj-czerwiec 1957

Jarosław Kurski, *Wujek śpiewa i rymuje*, w: „Gazeta Wyborcza, 24-26 XIII 2001

Tadeusz Kwiatkowski, *Krakowski Teatr konspiracyjny*, w: „Pamiętnik Teatralny" 1963

Mira Lendzion-Zbieranowska, *List do redakcji*, w: „Gazeta Wyborcza", 4 VI 1997

Mikołaj Lizut, *Wadowiccy ziomkowie Lolka*, w: „Gazeta Wyborcza", 24 III 2000

ks. Mieczysław Maliński, *Przewodnik po życiu Karola Wojtyły*, Kraków 1999

Młodzieńcze lata Karola Wojtyły. Wspomnienia, red. Juliusz Kydryński, Kraków 1990. Wykorzystano:
  – Antoni Bohdanowicz, *Wspomniena kolegi z klasy*

– Halina Królikiewicz-Kwiatkowska, *Wzrastanie*
– Tadeusz Kudliński, *Glosy teatromana do młodzień-
czej biografii Karola Wojtyły*
– Tadeusz Kwiatkowski, *Karol*
– Juliusz Kydryński, *Pomazaniec z Krakowa*
Muzeum wspomnień. Księga Autorów, Warszawa 2001. Wy-
korzystano relacje: Alicji Romanowskiej, Krystyny Saj-
dok i o. Anzelma Janusza Szteinke OFM

Darcy O'Brien, *Papież nieznany*, tłum. E. Abłamowicz,
H. Kobylińska,Warszawa 1998

*Od początku do końca. Z ojcem Leonem Knabitem OSB
rozmawiają Wojciech Bonowicz i Artur Sporniak*, Kraków 2002

*Panie, Ojciec Święty przyjechał! Z bp. Janem Chrapkiem
rozmawia Paweł Zuchniewicz*, w: *Spotkaliśmy Papieża. Wzruszające wspomnienia Polaków o Ojcu Świętym*, red. P. Zuchniewicz, Warszawa 2001

*„Pan jest i woła cię!". Z ks. Andrzejem Bardeckim rozmawia
Artur Sporniak*, w: „Tygodnik Powszechny" nr 43/1998

ks. Kazimierz Pielatowski, *Uśmiech Jana Pawła II*, Poznań
1991

bp Tadeusz Pieronek, *Dla mnie to niedościgły wzór*, w: Mi-
lena Kindziuk, *Zaczęło się od Wadowic. Wspomnienia,
wywiady, teksty o Janie Pawle II*, Kraków 2002

Janusz Poniewierski, *Pielgrzymka 1999. Dzień po dniu*,
Kraków 1999

Przez Podgórze na Watykan, oprac. Marek Cholewka, Kraków, 1998. Wykorzystano:
– *Gniazdo, z którego wyszedłem*, oprac. Karolina Bie-
drzycka

– ks. Franciszek Kołacz, *Ojciec Święty w naszej pamięci*
– s. Beata Piekut ZMBM, *Moje wspomnienia o Ojcu Świętym Janie Pawle II*

Adolf Rudnicki, *Szeregowy kolega*, w: „Przekrój" nr 2262, 16 X 1988

Bogusław Sonik, *Na to Papież mi pozwolił*, w: „Viva", wyd. specjalne, nr 1/1998

Artur Sporniak, *Czy Kołakowski jest do zbawienia koniecznie potrzebny?*, w: *Od Brzozowskiego do Kołakowskiego. Polscy pisarze XX wieku wobec religii*, red. Piotr Nowaczyński, Lublin 2001

Gian Franco Svidercoschi, *List do przyjaciela Żyda*, tłum. E. Karpińska, Kraków 1995

Józef Szczypka, *Jan Paweł II. Rodowód*, Warszawa 1990

Tad Szulc, *Jan Paweł II. Biografia*, tłum. Z. Uhrynowska-Hanasz, M. Wroczyński, Warszawa 1996

ks. Józef Tischner, *Proszę bliżej papieża*, w: „Viva", wyd. specjalne, nr 1/1998

Jan Turnau, *Teologia dobrego humoru*, w: „Gazeta Wyborcza", 2-3 VI 1999

George Weigel, *Świadek nadziei. Biografia papieża Jana Pawła II*, tłum. D. Chylińska, J. Illg, J. Piątkowska, R. Śmietana, M. Tarnowska, Kraków 2000

Zapis drogi. Wspomnienia o nieznanym duszpasterstwie ks. Karola Wojtyły, oprac. zespół, Kraków 1999. Wykorzystano:
   – Zofia Abrahamowicz-Stachura, *Zawsze z Wujkiem*
   – Maria Bucholc, *Nade wszystko ucieczka w każdej potrzebie*
   – Maria Heydlowa, *Minęło czterdzieści lat*

- Zofia Lubertowicz, *Buty*
- Danuta Rybicka, *Całe bogactwo*

ks. Jan Zieja, *Pewien człowiek*, w: *Papież i my*, Warszawa 1981

Życiorys nie do popsucia. Z ks. Adamem Bonieckim rozmawia Tomasz Fiałkowski, w: „Tygodnik Powszechny" nr 12/1999

Społeczny Instytut Wydawniczy Znak, Kraków 2002. Wydanie I.
Druk: Drukarnia Wydawnicza im. W. L. Anczyca S.A.,
ul. Wrocławska 53, Kraków.